CASAMENTO DO REINO

CASAMENTO DO REINO

O propósito de Deus para a vida a dois

—

TONY EVANS

Traduzido por Cecília Eller

mundo**cristão**

Copyright © 2016 por Tony Evans
Publicado originalmente por Tyndale House Publishers, Carol Stream, Illinois, EUA.

Os textos das referências bíblicas foram extraídos da *Nova Versão Transformadora* (NVT), da Tyndale House Foundation, salvo as seguintes indicações: *Almeida Revista e Atualizada*, 2ª ed. (RA), da Sociedade Bíblica Brasileira; e *Nova Versão Internacional* (NVI), da Bíblia Internacional.

Todos os direitos reservados e protegidos pela Lei 9.610, de 19/02/1998.

É expressamente proibida a reprodução total ou parcial deste livro, por quaisquer meios (eletrônicos, mecânicos, fotográficos, gravação e outros), sem prévia autorização, por escrito, da editora.

Edição
Daniel Faria

Preparação
Natália Custódio

Produção e diagramação
Felipe Marques

Colaboração
Ana Luiza Ferreira

Capa
Rafael Brum

CIP-Brasil. Catalogação na publicação
Sindicato Nacional dos Editores de Livros, RJ

E93c

    Evans, Tony
        Casamento do reino : o propósito de Deus para a vida a dois / Tony Evans ; tradução Cecília Eller. - 1. ed. - São Paulo : Mundo Cristão, 2021.
        240 p.

        Tradução de: Kingdom marriage
        ISBN 978-65-5988-001-0

        1. Casamento - Aspectos religiosos - Cristianismo. 2. Cônjuges - Aspectos religiosos - Cristianismo. I. Eller, Cecília. II. Título.

21-70597   CDD: 248.844
                            CDU: 27-452

Categoria: Casamento
1ª edição: julho de 2021 | 1ª reimpressão: 2023

Publicado no Brasil com todos os direitos reservados por:

Editora Mundo Cristão
Rua Antônio Carlos Tacconi, 69
São Paulo, SP, Brasil
CEP 04810-020
Telefone: (11) 2127-4147
www.mundocristao.com.br

Dedico este livro com gratidão e carinho à minha esposa Lois, por todo o amor, apoio, habilidade, sacrifício e incentivo que ela me dá. Essa tem sido a base de tudo o que Deus tem me permitido realizar. Sem dúvida, você é o vento por trás das minhas asas.

Sumário

Agradecimentos   9

PARTE I — O ALICERCE DE UM CASAMENTO DO REINO
1. Origem   13
2. Ordem   32
3. Oposição   44
4. Votos   58
5. União   71

PARTE II — A FUNÇÃO DE UM CASAMENTO DO REINO
6. Papéis   93
7. Resoluções   113
8. Pedidos   128
9. Restauração   146
10. Recursos   160
11. Romance   175
12. Reconstrução   194
13. Retorno   207

Conclusão: Transforme água em vinho   219
Anexo: A Alternativa Urbana   227

Notas   235

Agradecimentos

Gostaria de expressar gratidão profunda à organização Focus on the Family e à editora Tyndale House pelo apoio, compromisso e excelência que conferiram a esta obra.

PARTE I

O alicerce de um casamento do reino

1
Origem

O casamento segundo o reino não só é apaixonado, mas, acima de tudo, tem um propósito.

A paixão é importante e ser feliz é ótimo, mas isso tudo são benefícios, e não o propósito do casamento. O casamento existe para glorificar a Deus, expandindo seu governo e alcance. Ele reflete de maneira única a imagem divina, como nada mais o faz. Quando o casal busca cumprir o propósito do Senhor, todas as outras coisas que os dois valorizam — como a felicidade, o amor e a realização — entram nos eixos.

A ausência de propósito do reino no casamento faz parecer que muitos casais foram unidos por um ministro de guerra, não por um juiz de paz. Certa vez, o passageiro de um avião percebeu que o homem sentado ao seu lado estava com a aliança de casamento na mão errada, e lhe perguntou o motivo. O homem casado respondeu: "Porque me casei com a mulher errada".

> *A ausência de propósito do reino no casamento faz parecer que muitos casais foram unidos por um ministro de guerra, não por um juiz de paz.*

Atualmente, muitos casais sentem que o relacionamento conjugal dá trabalho excessivo, como o homem que disse: "Minha esposa e eu fomos felizes por vinte anos. Então nos casamos".

Amigo, quando Deus criou o casamento, ele o fez para durar. Somente quando nos afastamos do propósito divino para nossos relacionamentos é que enfrentamos o desmantelamento prematuro daquilo que tinha o objetivo de ser permanentemente satisfatório.

Uma menina estava se divertindo ao brincar com as mãos da avó. Quando perguntou à avó porque a aliança de casamento dela era tão grande e vistosa, a avó suspirou, sorriu e disse: "Querida, quando eu me casei, as alianças eram feitas para durar".

O problema hoje é que confundimos o benefício do casamento com o objetivo. Assim, quando o benefício — a felicidade — não está dando certo, desistimos e seguimos em frente, resignados a uma vida de infelicidade. Grande porcentagem dos casamentos termina em divórcio, e muitos casais permanecem juntos por motivos econômicos ou práticos, sem amor e sem um propósito em comum. Repito, os casais do reino compartilham um propósito, não só a paixão. As emoções mudam, mas o propósito permanece, e é ele que pode unir duas pessoas até que a morte os separe.

A maioria das pessoas aceita o conceito popular de que o casamento começa quando duas pessoas se apaixonam e compartilham uma experiência emocional identificada por arrepios, empolgação e frio na barriga. Com os olhos vidrados somente um no outro, o casal apaixonado promete amor eterno no altar, só para descobrir que, depois do "sim", eles não se amam mais. O divórcio parece a única saída para chegar a uma trégua. Na verdade, muitos homens e mulheres contam a maior mentira da vida exatamente no dia do casamento. Prometem "amar, honrar e respeitar" na saúde e na doença, na riqueza e na pobreza, na prosperidade e na dificuldade, até que a morte os separe. Pouco tempo depois, porém, estão divorciados, ou desejando que estivessem. Se a religião faz parte do relacionamento, muitos casais continuam juntos por causa dos filhos. No entanto, permanecem em um ambiente desprovido de amor, marcado por conflito, egoísmo e o contrário da verdadeira imagem de Deus.

Quando os filhos crescem em lares sem amor, não aprendem as lições cruciais necessárias para desenvolver uma boa autoimagem agora a fim de construir um casamento sólido para eles próprios no futuro. Quando os filhos veem o pai exigindo a submissão da mãe, assimilam uma definição distorcida de masculinidade e feminilidade, que costuma resultar em problemas de comportamento e comunicação mais tarde na vida.

> *O casamento não é um mero contrato social, mas uma aliança sagrada. Não é apenas uma forma de procurar amor, felicidade e realização.*

Os casamentos hoje sucumbem em um índice tão alarmante não por dificuldade de relacionamento, mas porque perdemos de vista a bênção ligada ao casamento bíblico. O casamento não é um mero contrato social, mas uma aliança sagrada. Não é apenas uma forma de procurar amor, felicidade e realização. Essas coisas são importantes; aliás, são fundamentais. Mas não são as mais importantes e fundamentais. Assim, porque conferimos o primeiro lugar ao que é secundário, por mais importante que aquilo seja, acabamos com dificuldade para progredir nas duas realidades. Quando o propósito e os princípios de Deus para o casamento são menosprezados, a imagem dele torna-se distorcida, acabando com nossa habilidade de influenciar os outros para Deus.

Os casais do reino devem ver o casamento sob o prisma divino. Um *casamento do reino* é definido como "a união de aliança entre um homem e uma mulher que se comprometem a agir em uníssono, sob a autoridade divina, a fim de reproduzir a imagem de Deus e expandir seu domínio no mundo por meio de seu chamado tanto individual quanto conjunto".

Um tributo duradouro

O pai de Vitória morreu quando ela tinha apenas 1 ano de idade. Criada somente pela mãe, ela não teve um modelo de casamento para seguir. Mesmo nos melhores momentos, o relacionamento que tinha com a mãe era bem problemático, e as duas acabaram se afastando por completo depois que Vitória cresceu. Jogada de um lado para o outro, para diferentes lugares e pessoas, a menina cresceu em um mundo contraditório, que lhe proporcionou pouca orientação e estabilidade. Que esperança ela teria de formar um lar feliz?

Aos 18 anos, Vitória precisou enfrentar novas responsabilidades. Foi coroada rainha da Inglaterra, algo que poucos esperavam, uma vez que ela não era a primeira na linha de sucessão ao trono. Acontece que os dois homens à sua frente morreram e ela se viu recebendo um título em uma época na qual ele pouco importava. A monarquia inglesa estava em xeque, não exercia nenhuma influência de fato e se encontrava em uma fronteira precária entre a honra e o desprezo. Era o início do século 19, e uma das nações mais ricas e poderosas do mundo tinha uma adolescente como rainha.

Entretanto, poucos anos depois, Vitória se casou com o homem que a ajudaria a mudar para melhor a cara da monarquia. Seu nome era Albert, e o mais engraçado foi que *ela* o pediu em casamento. (Por ser rainha, ele não tinha permissão de pedir a mão dela.) Logo se casaram, e o diário de

Vitória revela como se apaixonaram profundamente desde o início. Um tempo depois, a monarca escreveu: "Sem ele, tudo perde a graça".[1]

O casamento continuou firme e forte e se estendeu até a morte prematura de Albert, aos quarenta e poucos anos. Embora tenha durado pouco, o relacionamento foi capaz de produzir algo notável. Além de fortalecer o reinado de Vitória, uma vez que Albert se tornou o conselheiro-chefe e relações públicas da esposa, também expandiu o domínio e governo da nação para o restante do continente por meio de seus filhos. Vitória e Albert criaram os filhos com uma mentalidade de reino.

Nascido na Alemanha, o príncipe Albert era considerado um estrangeiro invasor e "britânico clandestino" pela maioria. Ainda assim, tornou-se um líder respeitado na nação ao honrar e fortalecer a posição de Vitória, enquanto procurava o bem da carreira e da nação da esposa por meio da influência que ele tinha nas questões políticas e domésticas.[2] A visão da monarquia havia mudado por completo ao fim do reinado da rainha Vitória, e passou a ser conhecida como uma ferramenta poderosa para o bem. Os nove filhos do casal também prosseguiram na obra de aumentar o alcance desse bem em países próximos e distantes.

Todos os nove filhos e muitos dos 42 netos se casaram com membros de diversas famílias reais, ocupando funções importantes, incluindo uma imperatriz alemã e rainha da Prússia; um rei da Inglaterra; uma grã-duquesa defensora das causas femininas e apoiadora de mulheres na área da enfermagem; um cofundador da Cruz Vermelha, que também se casou dentro da realeza alemã; a esposa de um governador geral do Canadá; um comandante-chefe do Canadá; e diversos outros líderes influentes.[3]

Embora seja bastante divulgado que Vitória valorizava bem mais o casamento do que seu papel de mãe,[4] ela e Albert assumiram com seriedade o dever de transmitir seu domínio e legado, e obtiveram êxito nessa área. Dessa maneira, e de muitas outras, o sucesso conjugal dos dois contribuiu para o sucesso não só dos cidadãos ingleses, mas também de pessoas do mundo inteiro, que foram positivamente impactadas pelas melhorias nos direitos das mulheres, nos serviços sociais e na atenção à paz que seus líderes passaram a buscar.

No entanto, o que mais me impressiona acerca do amor e da força dessa união é o que aconteceu depois que o casamento deles terminou. Após a morte prematura de Albert, a rainha lhe prestou a maior honra que uma esposa poderia dar. Vitória ainda era jovem quando ficou viúva e poderia ter escolhido qualquer pretendente real do mundo. Contudo, decidiu permanecer de luto pela perda do amor de sua vida. Ao longo de quatro décadas, a rainha Vitória se vestiu de preto todos os dias, permanecendo fiel à memória de seu casamento mesmo depois que a morte os separou. Muitos achavam que seu luto era excessivo, mas o amor de Vitória por Albert não se contentaria com nada menos que isso. Jamais encontrei testemunho maior do amor de um cônjuge do que o prestado inabalavelmente por essa rainha a seu príncipe.

Devemos buscar igualmente honrar e amar nosso cônjuge e expandir o domínio e o governo de Deus em tudo o que fazemos em nosso casamento.

A rainha Vitória e o príncipe Albert compartilharam o fruto da felicidade conjugal a despeito dos desafios claros de ter uma família grande, das pressões do dever e do ofício e de certa sensibilidade em relação aos papéis do homem e da mulher, resultante da posição superior que ela exerça. Ainda assim, tiveram êxito em tudo isso enquanto efetuavam a missão de expandir seu domínio e sua influência sobre o mundo.

Como seguidores do único Rei verdadeiro sobre todas as coisas, devemos buscar igualmente honrar e amar nosso cônjuge e expandir o domínio e o governo de Deus em tudo o que fazemos em nosso casamento.

O rei e seu reino

A chave para influenciar a sociedade e o mundo com impacto duradouro reside no fortalecimento do casamento bíblico conforme Deus planejou. Começa quando marido e mulher refletem Deus e sua imagem, exemplificando esse reflexo dentro dos papéis e das responsabilidades de sua união.

A compreensão do que é o reino em relação ao seu casamento é a chave para entender a Bíblia.

Começa com um entendimento correto do que é o reino de Deus e de quais são as responsabilidades de cada um dentro dele.

No entanto, uma vez que o corpo de Cristo em nosso mundo tem se concentrado tanto em prédios, programas e entretenimento, são pouquíssimos os que entendem de verdade o que é o reino de Deus e o que significa o compromisso bíblico.

Para contextualizar, permita-me começar dizendo que, se você é brasileiro, o mais provável é que isso aconteceu porque você nasceu no Brasil. Mas, se faz parte do reino de Deus, é porque nasceu de novo no reino do Senhor mediante sua fé pessoal na morte, sepultamento e ressurreição do Salvador sem pecado, Jesus Cristo.

A compreensão do que é o reino em relação ao seu casamento é a chave para entender a Bíblia. O tema central que une toda a Bíblia, de Gênesis a Apocalipse, é a glória de Deus e o avanço de seu reino.

Quando carecemos de uma integração do tema do reino em nosso estudo e aplicação da Bíblia, as Escrituras se tornam uma simples coletânea de histórias desconexas, que podem ser ótimas para fornecer informação e inspiração, mas que parecem divergentes em propósito, direcionamento e relevância contemporânea. A Bíblia existe para dar destaque ao movimento de Deus na história. Ela nos mostra a conexão do reino. A plena compreensão desse conceito torna esse manuscrito de milhares de anos relevante para nossas decisões nos dias atuais. O reino não é apenas futuro; ele também acontece agora.

Quanto mais Deus e seu domínio estão ligados à definição de casamento, mais ordem, produtividade e realização experimentamos no relacionamento conjugal. Quanto mais distantes se encontram Deus e seu domínio, mais caos ocorre dentro do lar.

O que é o reino? Ao longo de toda a Bíblia, o reino de Deus é seu governo. A palavra grega usada para "reino" é *basileia*, traduzida por "domínio" ou "autoridade". Todo reino é formado por três componentes cruciais: primeiro, existe um governante; segundo, há um grupo de súditos que se sujeitam a seu governo; terceiro, as regras de governança. O reino de Deus é a execução com autoridade do abrangente governo divino sobre toda a criação. Seu reino abarca todas as coisas, engloba tudo o que existe.

O universo no qual vivemos é uma teocracia. *Theos* refere-se a Deus, e *ocracia*, a governo. A perspectiva do reino quer dizer que o governo de Deus (teocracia) está acima do governo do ser humano (antropocracia). As Escrituras exprimem essa ideia da seguinte maneira: "O Senhor fez dos céus o seu trono, de onde reina sobre todas as coisas" (Sl 103.19).

O reino de Deus é maior que as esferas temporais, governamentais e sociais que compõem nosso mundo. Ele não se restringe às paredes da igreja na qual invocamos seu nome de forma coletiva. O reino é tanto já (Mc 1.15) como ainda não (Mt 16.28). Está próximo (Lc 17.21), mas, ao mesmo tempo, distante (Mt 7.21). Jesus falou sobre a origem celestial de seu reino terreno pouco antes de ser crucificado, quando respondeu a Pilatos: "Meu reino não é deste mundo. Se fosse, meus seguidores lutariam para impedir que eu fosse entregue aos líderes judeus. Mas meu reino não procede deste mundo" (Jo 18.36).

As três instituições baseadas na aliança (família, igreja e governo civil) foram projetadas para funcionar de acordo com um padrão de verdade absoluta.

O reino de Deus é formado por instituições baseadas na aliança, que incluem a família, a igreja e o governo civil (o Estado). Deus governa tudo isso, e todos prestam contas a ele e a seus padrões soberanos, quer reconheçam ou não seu domínio. A falha em viver sob sua autoridade gera caos e consequências semelhantes às que Adão e Eva experimentaram no jardim, consequências essas que vemos ao nosso redor o tempo inteiro.

A base da civilização é a família, e o fundamento da família é o casamento. Logo, a destruição de casamentos leva naturalmente à destruição da civilização. Por isso é crucial que fortaleçamos casamentos e famílias, por serem parte integrante da missão da igreja.

As três instituições baseadas na aliança (família, igreja e governo civil) foram projetadas para funcionar de acordo com um padrão de verdade absoluta. Vemos isso revelar-se pela primeira vez no jardim, quando Deus disse a Adão e Eva que eles poderiam comer à vontade de qualquer árvore, *menos* da árvore do conhecimento do bem e do mal. Deus queria que sua revelação, não a vontade humana, fosse a base e o alicerce do relacionamento entre as pessoas. Quando o primeiro casal comeu do fruto, afastou-se da natureza absoluta da ordem de Deus, acrescentando a razão a suas equações futuras. Em consequência disso, hoje precisamos tomar cuidado para sempre colocar nosso raciocínio debaixo do guarda-chuva da verdade absoluta revelada. A verdade é um conhecimento baseado fundamentalmente em Deus. Esse padrão de verdade é inegociável e transcende barreiras culturais, econômicas, situacionais e religiosas.

A agenda do reino não só opera sobre esse alicerce de verdade absoluta, como também inclui o único princípio que abrange tudo, apresentado para nossa compreensão da obra de Deus e de seu reino. Esse princípio é a glória divina. Romanos 11.36 diz que "todas as coisas vêm dele, existem por meio dele e são para ele. A ele seja toda a glória para sempre! Amém".

Glória denota significância e valor. Uma vez que tudo provém de Deus, acontece por intermédio de Deus e vai para Deus, a glória de Deus existe intrinsecamente nele próprio. O fato de atribuirmos ou não glória ao Senhor é irrelevante para o tanto de glória que ele possui. Sua glória já se encontra plenamente presente nele. Contudo, até que ponto experimentaremos na esfera pessoal e acessaremos a glória de Deus em nossa vida, em nosso casamento e em nosso lar depende de quanto nos alinhamos debaixo de seu abrangente domínio.

Quando nos alinhamos debaixo de Deus e de seu domínio, ele irradia e amplia sua glória para nós, em nós e por nosso intermédio. Experimentamos a vida e o casamento plenos que Cristo veio garantir em nosso favor (Jo 10.10).

A melhor maneira de dar glória a Deus é entregar-se a seu domínio soberano. Isso significa reconhecer a supremacia divina em todas as áreas de nossa vida. Quando nosso casamento funciona de acordo com esses princípios da agenda do reino, ficamos livres para desfrutar as bênçãos do Senhor e sua promessa de fazer todas as coisas cooperarem para o bem (Rm 8.28).

Em contrapartida, quando não operamos segundo o reino de Deus e seu domínio sobre nossa vida, limitamos as oportunidades de experimentar sua mão fazendo todas as coisas cooperarem para o bem. Isso acontece porque escolhemos definir Deus de acordo com o nosso propósito, não com o dele.

Para que a agenda do reino se manifeste em seu casamento, é necessário alinhar debaixo do domínio de Deus tudo o que você faz, pensa e diz.

Mas o Senhor não se deixa definir por ninguém além dele mesmo. É o governo de Deus (teocracia), não o governo do ser humano (antropocracia), que tem importância crucial. Se o reino de Deus é abrangente, conforme já vimos, sua agenda também é. A *agenda do reino* pode ser definida como "a manifestação visível do governo irrestrito de Deus sobre todas as áreas da vida". Para que a agenda do reino se manifeste em seu casamento, é necessário alinhar debaixo do domínio de Deus tudo o que você faz, pensa e diz. Quando isso for feito, você vivenciará os frutos de todo o bem que o Senhor planejou para você.

O que leva tantos de nós a ter dificuldades na vida cristã é querer que Deus abençoe *nossa* agenda para o casamento, em lugar de cumprir a agenda *dele*. Esperamos que Deus aprove nossos planos, em vez de nós realizarmos os planos dele. Desejamos que o Senhor nos dê glória, quando nós é que devemos dar glória a ele, honrando a aliança do casamento conforme ele planejou.

O propósito do casamento

Deus instituiu o casamento em um ambiente perfeito. Aliás, o casamento surgiu antes do pecado. O Senhor criou a primeira família e lhe deu sua bênção, sua ordem de ação e sua imagem:

> Então Deus disse: "Façamos o ser humano à nossa imagem; ele será semelhante a nós. Dominará sobre os peixes do mar, sobre as aves do céu, sobre os animais domésticos, sobre todos os animais selvagens da terra e sobre os animais que rastejam pelo chão".
>
> Assim, Deus criou os seres humanos à sua própria imagem,
> à imagem de Deus os criou;
> homem e mulher os criou.
>
> Então Deus os abençoou e disse: "Sejam férteis e multipliquem-se. Encham e governem a terra. Dominem sobre os peixes do mar, sobre as aves do céu e sobre todos os animais que rastejam pelo chão".
>
> Gênesis 1.26-28

Conforme vemos desde o princípio dessa passagem fundamental para o casamento, Adão e Eva deveriam refletir a imagem trina de Deus — unidade em meio à diversidade. Uma imagem espelha aquilo que reflete, sem tirar, acrescentar ou distorcer. Deus criou a humanidade para ser seu espelho e pediu que esse espelho reproduzisse outros, por meio do casamento. A união conjugal, formada por homem e mulher, exprime da maneira mais completa quem Deus verdadeiramente é, sendo a manifestação mais abrangente de sua imagem.

Nosso objetivo como casal não é apenas espelhar Deus no reino visível baseado em sua realidade no reino invisível, mas também transferir a perfeição dessa imagem para nossos filhos, à medida que educamos crianças do reino. Em suma, a missão do casamento é manifestar e reproduzir a imagem de Deus na história, bem como executar o domínio ordenado por Deus ("dominará"). Basicamente, domínio quer dizer governar em nome do Senhor na história, a fim de que esta se sujeite à autoridade divina. As bênçãos que Deus prometeu e que tanto desejamos vivenciar no casamento devem ser o crescimento de homens e mulheres que cumprem o propósito divino de refletir sua imagem e administrar juntos a criação debaixo do governo do Senhor. A felicidade deve ser um dos benefícios de um casamento sólido, não o alvo. O objetivo do casamento é refletir Deus por meio do avanço de seu reino na terra. A felicidade acontece por meio de um crescimento orgânico, à medida que esse objetivo é alcançado.

O domínio do marido e da mulher

Em Gênesis 1.28, Deus deu a Adão e Eva a ordem de dominar. A compreensão dessa passagem é crucial para o sucesso de um casamento do reino. Para tanto, analisemos o contexto histórico dentro do qual a família foi colocada.

Deus criou a humanidade após a rebelião de Satanás, a fim de incumbir a raça humana de governar sobre a ordem da criação divina. Vemos isso em Salmos 8.3-6:

> Quando olho para o céu e contemplo a obra de teus dedos,
> a lua e as estrelas que ali puseste, pergunto:
> Quem são os simples mortais, para que penses neles?
> Quem são os seres humanos, para que com eles te importes?
> E, no entanto, os fizeste apenas um pouco menores que Deus
> e os coroaste de glória e honra.
> Tu os encarregaste de tudo que criaste
> e puseste sob a autoridade deles todas as coisas.

A ordem de dominar "sobre os peixes do mar, sobre as aves do céu, sobre os animais domésticos, sobre todos os animais selvagens da terra" (Gn 1.26) foi aliada à ordem de governar a terra (v. 28). Na teologia formal, chamamos isso de *aliança de domínio*.

O pano de fundo para essa aliança foi a rebelião de Satanás contra Deus, que resultou na expulsão de Satanás e dos anjos para a terra, antes de serem encarcerados em caráter permanente no inferno. A humanidade e a instituição do casamento foram criadas especialmente para que as pessoas tenham um relacionamento com Deus e umas com as outras, resultando na demonstração da glória maior do Senhor e na superioridade de seu reino por intermédio da humanidade. Contudo, esse objetivo e as bênçãos ligadas a ele só poderiam ser alcançados se o relacionamento conjugal operasse de acordo com o projeto

> *Basicamente, domínio quer dizer governar em nome do Senhor na história, a fim de que esta se sujeite à autoridade divina.*

divino. Isso explica por que Satanás só atacou Adão depois que este se casou.

Deus instituiu um reino na terra que dominaria sobre o reino de Satanás e o derrotaria. Quando Cristo vier estabelecer seu reino milenar, ocorrerá a declaração final e triunfante da glória de Deus. Então, Satanás ficará trancado durante esse tempo, para que sua derrota e seu juízo final sejam revelados (Ap 20.1-3).

Por ora, porém, Deus tem um propósito para você e para mim — e para os casais, em especial —, que consiste em dominar e governar sobre parte de sua criação. Cada pessoa foi criada com essa intenção divina, e cada união conjugal existe a fim de transmitir essa intenção para a geração seguinte. Em síntese, o relacionamento conjugal deve governar e reproduzir a imagem e o reino de Deus na história.

Quando o Senhor estabeleceu a primeira família e lhe deu domínio para governar, declarou que ele não governaria de maneira independente dos seres humanos. Nossas decisões na terra impactariam as decisões dele no céu (Ef 3.10). Deus fez isso com um motivo: demonstrar a Satanás e seus comparsas que ele é capaz de fazer mais para manifestar sua glória por meio de criaturas inferiores do que por intermédio do antigo "modelo de perfeição" (Ez 28.12).

Pensamos, com frequência, que há uma batalha em andamento entre Deus e Satanás. Mas não existe batalha nenhuma entre eles. Não é possível existir batalha entre o Criador e uma criatura. Isso seria semelhante a dizer que eu vou derrubar Manny Pacquiao no ringue. É claro que nós dois podemos até entrar na arena para lutar, mas eu seria derrubado como uma pena no primeiro golpe.

Satanás, um ser criado, não é páreo para o Criador todo-poderoso. Não há luta. Entretanto, o que Deus estabeleceu foi a oportunidade de criaturas inferiores — seres humanos (Sl 8.5) — demonstrarem que, nessa batalha espiritual, até nós podemos vencer quando atuamos de acordo com o domínio do reino de Deus. Nós estamos em uma batalha contínua, e Satanás já teve milhares de anos para aperfeiçoar seus golpes. Ele gosta de alvejar primeiro os casais, uma vez que somos o maior reflexo da união entre Cristo e a igreja, além de sermos incumbidos de transmitir a imagem de Deus para a geração seguinte. Nós, casais do reino, fomos jogados em um conflito cósmico a fim de manifestar o domínio de Deus na história, para o avanço de seu reino e o reflexo de sua glória.

O Senhor nos delegou a responsabilidade administrativa de governar a terra. Nós temos essa responsabilidade. Tenha em mente que ele não entregou a propriedade *absoluta* da terra para nós. Ao nos entregar a administração, estabeleceu um processo, dentro de determinados limites, segundo os quais respeita nossas decisões, mesmo quando contrariam as dele ou mesmo quando são contrárias aos melhores interesses do que está sendo administrado. Em decorrência disso, ou desfrutamos as bênçãos ou sofremos as consequências das más decisões.

> *O Senhor nos delegou a responsabilidade administrativa de governar a terra. Nós temos essa responsabilidade.*

Deus é o grande dono de tudo. Todavia, delegou o dever da administração para nós, debaixo de sua soberania. As decisões do casal, envolvendo tanto como se relacionam um com o outro quanto como refletem o Senhor por meio de sua união, afetam diretamente a qualidade de vida que experimentam. A tragédia da maioria dos casais é que seguem o exemplo de Satanás, indo em busca dos direitos de propriedade, não só das responsabilidades de administração. Assumindo o papel de proprietários, os casais se colocam do lado de fora do domínio divino e tomam decisões baseadas em suas vontades ou desejos preferidos. E, assim como o inimigo, sofrem o mesmo distanciamento e conflito de quando Satanás foi afastado da presença de Deus.

Isso significa que você pode ter um casamento feliz ou infeliz; tudo dependerá de exercer ou não seu domínio como reflexo da imagem de Deus. O Senhor não fará você governar de acordo com o domínio dele. Não o forçará a ter um relacionamento produtivo e satisfatório. Ele instituiu o casamento e seus propósitos, mas você tem a opção de viver segundo esses propósitos ou não.

Com frequência, o bem-estar do casamento é determinado por quanto o homem e a mulher refletem a imagem de Deus em seu papel individual. Quando esse espelho quebra, ou mesmo trinca, o reflexo do relacionamento quebra junto. Quase toda vez que uma família se desfaz, isso acontece porque um dos cônjuges ou ambos estão agindo fora dos limites do vínculo da aliança do casamento. Seguem o exemplo de um espelho partido. Como resultado, desfrutam menos o favor de Deus.

Quando os casais falham em se alinhar sob o domínio do reino de Deus, a linha de batalha é demarcada.

Ou Satanás tenta nos levar a abrir mão do direito de administração para o entregar a ele, enganando-nos e levando-nos a crer que ele tem autoridade, ou tenta nos fazer administrar mal, com base em nossas opiniões e visões de mundo distorcidas. Não raro, ele o faz mediante a promoção de conflitos em nossos relacionamentos ou mediante a incitação de escolhas ímpias.

Quando os casais falham em se alinhar sob o domínio do reino de Deus, a linha de batalha é demarcada.

Pontos de vista egocêntricos criam tensão no casamento. Mas os problemas e desafios que o relacionamento conjugal enfrenta devem nos levar a buscar e exercer o poder de Deus, não a nos separar do cônjuge.

Fui capelão do time Dallas Mavericks, da NBA, por mais de três décadas. Eu gosto de basquete tanto quanto a maioria dos norte-americanos. E sou ótimo jogador, praticamente imparável... quando jogo sozinho. Sem oposição, consigo fazer qualquer jogada e uma cesta após a outra. No entanto, quando mais jovem, tive a oportunidade de jogar contra o ex-pivô dos Mavericks, Mark Aguirre, e logo descobri que eu não era tão bom assim no basquete. A verdadeira prova de minhas habilidades esportivas ocorreu quando enfrentei oposição.

O mesmo acontece no casamento. Mas o conflito, as lutas, os desafios e as diferenças não deveriam destruir nossa união. Em vez disso, deveriam mostrar o poder de Cristo dentro de nós. Jesus nunca pede que um casal faça algo que ele já não tenha dado a habilidade de realizar (Fp 4.13). O casamento é uma das melhores maneiras de mostrar a diferença que Jesus Cristo faz. Você pode refletir a glória de Deus e a união da Trindade por meio de seus propósitos em comum, da honra e do amor de um verdadeiro casal do reino. Quando você faz isso, não só cria uma história de amor que ficará para a posteridade, como a da rainha Vitória e do príncipe Albert, mas também expande o domínio e o governo de Deus na terra por intermédio de seu casamento e legado. A moral da história é que o casamento consiste em um conceito do reino, não só em uma ligação social.

Quando minha esposa, Lois, e eu nos conhecemos, nos apaixonamos e começamos a falar em casamento, boa parte de nosso planejamento girava em torno de como Deus poderia usar nosso relacionamento para glorificá-lo e servir seu reino. Uma vez que nós dois havíamos nos comprometido com Cristo e sido chamados para o servir, era natural incluir o propósito do reino de Deus como a peça central e definidora de nosso relacionamento. É com essa orientação que o Senhor deseja que todo casal inicie a vida juntos. A pergunta-chave é: como nosso casamento pode refletir a imagem de Deus e promover o avanço de seu reino? À medida que essa pergunta é respondida, podemos esperar que nosso casamento receba as bênçãos e a alegria pelas quais ansiamos tão profundamente.

Quando Deus estabeleceu o casamento, ficou claro seu desejo de que essa instituição permanecesse soberanamente sob seu controle e existisse para esse propósito. Assim, foi Deus quem criou o ser humano. Foi Deus quem comunicou ao homem sua Palavra. Foi Deus quem revelou ao homem a necessidade de uma mulher. Foi Deus quem criou a mulher para o homem. Foi Deus quem levou a mulher ao homem. É evidente, portanto, a intenção divina de nunca ser deixado fora do casamento, mas, em vez disso, consistir na própria definição desse relacionamento.

2
Ordem

Nunca morei fora dos Estados Unidos, mas conheço pessoas que já o fizeram e tive a oportunidade de viajar para vários lugares do mundo ao longo das últimas décadas. Há algo que me assusta mais que qualquer coisa em alguns dos países em desenvolvimento que visitei: o jeito que as pessoas dirigem.

Em alguns lugares, parece que todos participaram do filme mais recente da franquia *Velozes e furiosos*. Em outros lugares, não sei para quem é a estrada, se para bicicletas, veículos ou animais. Não raro, acho difícil até identificar onde estão as faixas. Às vezes, elas não são delimitadas; assim, carros, veículos de transporte público e bicicletas serpenteiam para dentro e para fora do caminho um do outro. Acrescente alguns pedestres e está pronta a receita para o caos.

Tendo vivido essas experiências em primeira mão, não me surpreende descobrir que, de acordo com relatos do governo, são os acidentes automobilísticos, não o terrorismo, o crime ou até mesmo os desastres naturais, que ceifaram mais vidas dos americanos no exterior entre 2011 e 2013 que qualquer outro fator.[1] Todos os anos, entre 20 e 50 milhões de pessoas sofrem danos não fatais em decorrência de acidentes nas estradas. Os acidentes são considerados a oitava maior causa de morte do planeta, ao lado de doenças como a malária.[2] A falta de delimitação clara das faixas, bem como a incapacidade de permanecer nelas, causa muitos desses acidentes.

Separe um instante para se imaginar dirigindo na hora do *rush* na maior cidade de sua região. Já é estressante só trafegar nesse horário, não é mesmo? Acrescente algumas barreiras de construção, mais uns buracos e agora fica ainda mais estressante. Mas remover completamente as marcações das faixas? Ainda seria possível dirigir? Eu duvido. Provavelmente aconteceria um engavetamento em questão de minutos e quilômetros intermináveis de engarrafamento.

Sem ordem o caos impera, e é por isso que Satanás tenta o tempo inteiro incitar problemas nos casamentos. Enquanto o caos reina, jamais podemos chegar a um lugar de ordem, paz, harmonia e progresso. Deus ordenou um domínio para você e seu cônjuge executarem. Ele os uniu de maneira intencional para que cumpram o propósito que ele tem para a vida de vocês. No entanto, assim como você não conseguiria dirigir no trânsito intenso da hora do *rush* sem faixas claramente demarcadas, é impossível realizar tudo o que Deus reservou para você e seu cônjuge sem seguir as faixas de sua ordem prescrita. Satanás sabe que, a fim de cancelar a sua capacidade de governar, ele precisa interromper a ordem, criando dissensões e divisão.

> *Sem ordem o caos impera, e é por isso que Satanás tenta o tempo inteiro incitar problemas nos casamentos.*

Satanás é capaz de controlar tudo aquilo que consegue dividir. Isso é verdade sobretudo no que diz respeito aos relacionamentos conjugais. Essa foi exatamente a abordagem usada quando separou Adão e Eva um do outro e os afastou das bênçãos de Deus. Induziu Eva a deixar a faixa ao questionar a Palavra de Deus e, então, incitou Adão a sair da faixa ao participar e comer do fruto. Quando se afastaram das posições prescritas de alinhamento debaixo de Deus, perderam a habilidade de governar seu mundo. Em vez de desfrutar as bênçãos que o Senhor lhes havia prometido, começaram a viver sob uma maldição. As coisas que haviam sido projetadas para fazer o bem agora lhes causavam dor.

Muitos casais vivem hoje sob os efeitos de uma maldição. Não desfrutam mais as bênçãos do favor de Deus. Em vez disso, sofrem as consequências da desobediência. Ao longo dos anos, a Palavra de Deus foi tão diluída e distorcida para se encaixar em nossas normas culturais que muitos casais nem se dão conta do motivo para as coisas estarem tão confusas. No entanto, se você se comprometer a aplicar ao seu relacionamento conjugal a ordem prescrita pelo Senhor, começará a ver os frutos da bênção se revelando não só na parceria do casal, mas também em outras áreas da vida familiar. Isso acontece à medida que você se abre para a oportunidade de receber mais do favor de Deus.

O princípio do cabeça se aplica ao marido e à mulher

Lemos acerca da ordem prescrita por Deus na carta de Paulo à igreja de Corinto. Se você conhece a história da igreja de Corinto, sabe que ela se encontrava em uma condição de caos e desordem. Paulo abordou esse caos com um princípio para endireitar as coisas: "Quero que saibam de uma coisa: o cabeça de todo homem é Cristo, o cabeça da mulher é o homem, e o cabeça de Cristo é Deus" (1Co 11.3). Nesse único versículo, encontramos o segredo espiritual para a cobertura e autoridade que, quando seguido, pode salvar qualquer casamento.

Pode transformar um relacionamento abalado e derrotado em um matrimônio vitorioso e produtivo. Ou pode dar a um relacionamento já positivo a energia para alcançar conquistas ainda maiores para o Senhor.

Quando aconselho casais que estão passando por dificuldades no casamento, em todos os casos um dos cônjuges, ou ambos, não está mais empregando esse princípio à vida do casal. Se isso for acertado, tudo o mais se alinhará.

Apresentaremos rapidamente esse princípio e então falaremos sobre as razões por trás dele, bem como suas implicações. Sempre que ensino sobre esse assunto, gosto de começar do fim, pois é o ponto mais fácil de identificação tangível: Deus é o cabeça de Cristo.

Nós sabemos que, teologicamente, Jesus é igual a Deus. Portanto, essa referência a Deus como o cabeça de Cristo infere *posição*, não desigualdade. Afinal, Jesus é o Filho eterno de Deus e possui a plena essência divina de tudo o que faz Deus ser Deus. O ser ontológico de Cristo é o mesmo de Deus, em sua constituição. Todavia, no que diz respeito à função, Jesus vem debaixo de Deus na ordem de executar o desígnio e o plano divino.

É por isso que quando estava na terra Jesus orou: "Que seja feita a tua vontade, e não a minha" (Lc 22.42). A obra da redenção foi realizada porque Jesus veio em submissão à direção do Pai, garantindo assim perdão, salvação, glorificação e vida eterna para todos que nele creem.

Caso Jesus houvesse se rebelado enquanto orava no jardim do Getsêmani por sentir que seus direitos estavam sendo infringidos ou seus objetivos impedidos, todos estaríamos em um mundo de dor agora. Em vez disso, porém, ele foi submisso e, como resultado, temos acesso a Deus por intermédio dele, bem como a vida plena que ele garantiu para nós com sua morte.

Assim como Cristo está debaixo de Deus, descobrimos em 1Coríntios 11.3 que todo homem se encontra debaixo de Cristo. Uma vez que Paulo estava escrevendo para a igreja, sua referência é aos cristãos. Cada homem cristão tem Jesus Cristo como cabeça. Essa é uma verdade bíblica e também uma parte fundamental de um casamento saudável que raramente é ensinada ou abordada. Boa parte do ensino sobre o conceito de submissão se concentra na submissão da esposa ao marido; contudo, no mesmo versículo, encontra-se a ordem para o marido ser submisso a Jesus Cristo. Nenhum homem cristão é autônomo. Todo homem presta contas a Cristo. Aliás, a definição bíblica de *homem* é "ser humano do sexo masculino que sujeitou sua masculinidade ao senhorio de Jesus Cristo".

No mesmo versículo sobre submissão da esposa, encontra-se a ordem para o marido ser submisso a Jesus Cristo.

Se o marido espera que a esposa preste contas a ele, ela também deve ver essa atitude exemplificada no marido, que presta contas a Cristo. Muitos homens estão saindo da faixa em relação a Cristo e esperando que a esposa permaneça na faixa no que diz respeito ao marido. Ninguém deve ficar chocado se um casamento acaba em confusão quando o homem não age de acordo com os princípios de Deus. Ele está fora da faixa. E, se for esse o caso, é bem provável que sua esposa também esteja. Um acidente está prestes a acontecer quando duas pessoas não vivem alinhadas com a ordem estabelecida por Deus.

O conceito de cabeça costuma ser uma área de confusão e questionamento para os casais que aconselho. Para a esposa, existe um ser humano tangível a quem ela deve ser submissa. Mas, embora Cristo seja real, ele não fala audivelmente para o marido, e muita coisa fica aberta à interpretação do homem. Isso não é bom, e creio que a igreja como um todo perdeu de vista seu chamado de prover oportunidades de prestação de contas necessárias para os homens atuarem tanto como professores quanto como guias em seu papel de líderes espirituais da igreja.

Certo casal que aconselhei em tempos recentes reclamava de discutir praticamente acerca de tudo. Enquanto estavam sentados em meu escritório, eu conseguia enxergar a desconfiança e o muro de defesa que ambos haviam erguido. Um dizia algo, o outro corrigia. Pareciam estar em um impasse em diversos níveis. Conheço esse casal há algum tempo, e quero muito que o casamento deles seja restaurado. Não consigo fazer isso com todos que aconselho, mas passei meu celular pessoal para eles e perguntei se concordariam com uma coisa: da próxima vez que discutissem e não conseguissem chegar a um consenso em relação ao conflito, eles me ligariam e permitiriam que eu os fizesse prestar contas da situação com base na Palavra de Deus.

Assim que disse isso, a esposa se derramou em lágrimas. Era como se uma onda de alívio a tivesse inundado. Não tenho certeza de por que isso aconteceu, mas, com base em minha experiência com vários outros casais, presumi que ela não via significado na prestação de contas do marido a Cristo, porque ninguém estava cobrando isso dele. Agora, porém, ambos seriam igualmente ouvidos. O casal concordou, e eu fiquei grato por poder intervir de maneira positiva.

A igreja existe para proporcionar essa moderação em situações de conflito. Na igreja que pastoreio, temos um ministério de mentores conjugais. São casais que demonstraram um relacionamento saudável e um nível de compromisso mútuo e com o Senhor ao longo dos anos e agora se voluntariam para proporcionar a casamentos que estão fraquejando essa oportunidade de prestação de contas da submissão a Cristo como cabeça. A igreja deve ser muito mais que simplesmente um lugar para pregar e cantar no domingo. Ela foi criada para ser a instituição governante de Deus na terra a fim de fortalecer seus membros para a promoção da agenda do reino. Infelizmente, transformamos a igreja em um clube ou uma lanchonete, e boa parte do significado de sua existência se perdeu.

Maridos, vocês prestam contas a Deus debaixo de Cristo. Já vi casamentos destruídos porque o marido deu as costas à própria responsabilidade como protetor, provedor, cuidador e preservador do lar, ao mesmo tempo que culpa a esposa por tudo.

A igreja foi criada para ser a instituição governante de Deus na terra a fim de fortalecer seus membros para a promoção da agenda do reino.

Caso o marido houvesse se mantido firme e permanecido na faixa certa, não tenho dúvidas de que Deus haveria restaurado o casamento. Homens, não existe desculpa para cobrar da esposa um padrão que você mesmo não alcança.

Você já dirigiu um carro desalinhado? Ocorre muito sacolejo quando as coisas não estão alinhadas direito. Além disso, os pneus sofrem desgastes desnecessários. O problema fundamental que enfrentamos hoje nos casamentos é que os homens estão desalinhados e se chateiam porque aqueles que os seguem (a esposa e os filhos) se encontram desalinhados também. Você precisa se alinhar espiritualmente para que as pessoas que o seguem se alinhem. Em outras palavras:

maridos, se vocês querem que a esposa os chame de "senhor", elas precisam ver vocês chamando Jesus Cristo de "Senhor" e seguindo o exemplo dele.

Por fim, lemos em 1Coríntios que "o cabeça da mulher é o homem" (11.3). Uma vez que abordarei esse assunto em outro capítulo, apenas o mencionarei brevemente aqui. Primeiro quero destacar que a passagem diz "da mulher" no singular, ou seja, da esposa. Não se trata de uma declaração geral do governo dos homens sobre as mulheres. O versículo fala sobre a ordem do casamento, e nada mais. O marido é cabeça da esposa em autoridade final, não em igualdade, capacidade ou mesmo contribuição. Como resultado da liderança masculina, a esposa entra sob a provisão, proteção e orientação do marido. Ser cabeça significa uma responsabilidade. A esposa deve procurar no marido (seu cabeça) essas coisas. Deve seguir a liderança do marido, assim como ele segue a liderança de Cristo. Essa é a ordem divina.

> *Sem autoridade espiritual, é difícil realizar qualquer coisa que valha a pena, quanto mais vivenciar um casamento próspero.*

Foi exatamente isso que Satanás mudou no jardim para provocar a maldição. Ele foi procurar Eva primeiro, porque Adão havia abdicado de seu papel. Isso facilitou para que Eva também abrisse mão de seu papel, quando assumiu a liderança e deu instruções para que Adão comesse do fruto. E o inferno tomou conta do jardim porque Adão e Eva saíram da ordem estabelecida por Deus.

Conforme vemos nesse exemplo, quando o princípio do cabeça não é seguido, a autoridade se perde. Sem autoridade espiritual, é difícil realizar qualquer coisa que valha a pena, quanto mais vivenciar um casamento próspero. Os problemas que enfrentamos no lar e no casamento não estão fundamentalmente ligados a personalidades, visões de mundo ou experiências de vida diferentes. Eles se originam da entrega do jardim ao diabo, da permissão para que ele tire vantagem de nossa falta de cobertura e autoridade espiritual por meio da exploração de nossas personalidades, visões de mundo e experiências de vida.

Mais uma reflexão sobre essa passagem: o homem não tem autoridade *absoluta* sobre a mulher. Ela só deve se submeter ao marido quando a autoridade dele se alinha com o senhorio de Cristo. Em outras palavras, o marido não pode pedir ou exigir que a esposa faça algo que viole uma ordem divina das Escrituras.

Por causa dos anjos

Direi mais uma vez: quando você vive desalinhado, coloca-se sob as consequências da maldição e perde a capacidade de governar. Quando se encontra alinhado, desfruta a bênção e readquire seu domínio. Logo, a pergunta a se fazer em relação ao seu casamento não é se o cônjuge o incomoda, ou se vocês discordam em relação a determinados assuntos, mas sim se vocês querem governar seu mundo ou perder esse domínio. Depende de vocês, porque Deus estabeleceu uma estrutura definida de posições que todos devemos seguir. E ele o fez com um propósito.

Esse propósito tantas vezes negligenciado é encontrado em 1Coríntios 11. Paulo começa a passagem falando sobre o cabelo da mulher como sua cobertura, uma vez que ela é a glória do homem. Ele também fala que o homem é a glória de Deus

(v. 4-7). O apóstolo nos lembra, depois disso, que a mulher se originou do homem e foi criada para o homem, mas nenhum é independente do outro, uma vez que agora o homem nasce da mulher (v. 8-9,11-12). No meio dessas declarações encontra-se o motivo para a ênfase de Paulo na cobertura simbólica que representa o princípio do cabeça: "Por esse motivo, e também *por causa dos anjos*, a mulher deve cobrir a cabeça, para mostrar que está debaixo de autoridade" (v. 10).

O que significa "por causa dos anjos"? O diabo é um anjo. Seu nome era Lúcifer. Deus criou Lúcifer para ser o arcanjo. Ele era um anjo de glória extraordinária, com poder e força incomparáveis. Havia apenas uma regra para o controle de Lúcifer: ele precisava ser submisso à ordem divina. Mas ele não gostava disso. Queria ser igual a Deus, semelhante ao Altíssimo, a fim de não precisar prestar contas a ninguém. Na verdade, ele queria que todos prestassem contas a ele.

Lúcifer não apreciava a ordem prescrita por Deus. Queria comandar o próprio espetáculo e, por isso, se rebelou. Encontrou quem estivesse disposto a segui-lo e buscou assumir um lugar acima do próprio Deus. Ao se rebelar, porém, foi amaldiçoado, assim como a terça parte dos anjos que se rebelou junto com ele. Foram colocados neste nosso planeta, que serve como cela temporária até o momento determinado por Deus para que sejam destruídos para sempre.

Nesse meio-tempo, Deus criou o homem — Adão — e, a partir de Adão, criou Eva. Quando Lúcifer tentou Adão e Eva a também transgredirem a ordem divina, transformou as bênçãos e o domínio humano em maldição. Em outras palavras, eles foram amaldiçoados por causa de um anjo. Satanás, o anjo que se tornou mau, trouxe dor para o trabalho, dor para as finanças, dor para o trabalho de parto, dor para a terra e dor para as famílias.

Em outras palavras, os anjos não ficam por aí sentados sem nada para fazer. Ou eles estão apoiando a ordem divina (os anjos de Deus) ou tentando distorcê-la com outra ordem (os seguidores de Satanás). Os anjos estão muitíssimo envolvidos em nossa vida e em nosso casamento. Chamamos os anjos bons de anjos e os anjos maus de demônios. Os demônios tentam usar seu próprio espírito de rebelião para criar caos em nosso lar, aproveitando-se das diferenças de personalidade, desejos e fraquezas. Quando cedemos a essas diferenças dentro do relacionamento conjugal e nos colocamos fora da faixa — os homens na faixa de Deus e de seu governo e as mulheres na faixa dos homens como a autoridade final —, perdemos a capacidade de governar o lar, os filhos, a carreira e muito mais.

Quando Lúcifer tentou Adão e Eva a também transgredirem a ordem divina, transformou as bênçãos e o domínio humano em maldição.

Em Efésios 3.10, o apóstolo Paulo declara: "O plano de Deus era mostrar a todos os governantes e autoridades nos domínios celestiais, por meio da igreja, as muitas formas da sabedoria divina". Os anjos estão aguardando instruções ao observar como você e eu, membros do corpo de Cristo — a igreja —, escolhemos agir. Quando agimos da maneira correta, há um sinal para os anjos fazerem vigorar a vontade de Deus na terra. Quando operamos desalinhados, as portas se abrem e os demônios captam o sinal de provocar ainda mais caos.

Os anjos estão disponíveis para todos nós. Podem nos dar proteção, orientação e outras coisas. Mas muitos anjos estão de folga, porque não veem a ordem que lhes dá permissão para entrar em nosso mundo e invocar nosso domínio. Se você não está alinhado, em ordem, os anjos não se movem, porque foi exatamente isso que levou aquele primeiro grupo a ser expulso do céu — operar fora de ordem.

Quando Jesus chamou Natanael para o seguir, disse-lhe que o havia visto sentado debaixo de uma figueira. Por causa disso, Natanael creu que Jesus era o Filho de Deus. Mas Jesus lhe disse que ele veria coisas ainda maiores que essas: "Eu lhes digo a verdade: vocês verão o céu aberto e os anjos de Deus subindo e descendo sobre o Filho do Homem" (Jo 1.51).

Jesus partilhou a imagem de uma escada que subia e descia do céu, trazendo o governo de Deus — "Venha o teu reino. Seja feita a tua vontade" (Mt 6.10) — do céu para a terra. É semelhante à escada que Jacó viu em Betel, onde testemunhou os anjos descendo do céu e subindo de volta (Gn 28.12).

O motivo para muitos de nós não testemunharem a mão de Deus intervindo, favorecendo e abençoando nosso casamento é que estamos limitando o envolvimento positivo dos anjos. Nossas escadas estão fechadas no quintal — deitadas no chão, ou apoiadas na parede errada. A ordem é crucial, porque revela confiança e um coração obediente. A desordem consiste na personificação da rebelião e do orgulho.

Vocês, como casal, podem readquirir o direito de governar e exercer o domínio que Deus os chamou para executar.

Vocês, como casal, podem readquirir o direito de governar e exercer o domínio que Deus os chamou para executar. Podem retomar o poder, as orações respondidas e as bênçãos que Deus tem reservadas para vocês, se tão somente se alinharem na ordem correta, debaixo dele.

3
Oposição

Um casamento vibrante e sadio está totalmente ligado ao foco. Seu foco está em Deus e no propósito e poder dele, ou em si mesmo e em seus desejos? Não faz muito tempo, um casal veio ao meu escritório em busca de aconselhamento e trouxe consigo uma lista, que deveria conter no mínimo umas trinta coisas escritas. Lembro-me de sentir um desânimo instantâneo assim que os vi tirar aquela lista para fora. Era como se eu fosse um balão e alguém tivesse pegado uma agulha para me estourar. "Como irei ajudá-los a resolver tantos problemas?", pensei enquanto começavam a ler item por item.

Eles liam sem parar, citando coisas que pareciam causas legítimas de conflito. Eram diferenças reais, e pude entender por que não estavam conseguindo se dar bem. Assim que o casal terminou a leitura, o marido me entregou a lista. Em uma fração de segundo, precisei tomar uma decisão. Eu iria retomar a lista com eles e dar conselho sobre cada um dos problemas citados ou abordaria a fonte de todos aqueles conflitos?

Um casamento vibrante e sadio está totalmente ligado ao foco.

Olhei para a lista. Em seguida, olhei para o casal, ambos sem esperança e com raiva expressa claramente em todo o rosto. Então voltei a analisar a lista, elaborada com cuidado e reflexão. E a rasguei. Bem ali na frente deles. Você deve imaginar a cara que eles fizeram. Haviam separado um bom tempo a fim de preparar a lista para nosso encontro, e eu simplesmente a destruí.

Inclinei-me na direção deles e disse com tom de voz suave, mas firme: "Vocês acabaram de me dar o fruto. É real, mas não passa do fruto. É como um fogo de artifício lançado ao céu para explodir. Somente uma coisa é jogada para cima, mas, quando explode, vai para todas as direções. Quero falar com vocês sobre essa 'uma coisa', não sobre a explosão".

Eles me olhavam com atenção, enquanto eu prosseguia: "Poderíamos conversar sobre os trinta itens da lista, mas nada iria mudar de verdade no casamento de vocês, por causa dessa coisa única que está faltando: a base espiritual do relacionamento. Sem estabelecer e manter um relacionamento espiritual sólido, a lista de trinta itens, depois de resolvida, só irá mudar para outros trinta e vocês voltarão aqui na mesma época do que ano que vem com mais trinta problemas para resolver".

Então, arrematei: "Se vocês acertarem esse único elemento, todas as outras coisas entrarão nos eixos. Coloquem a perspectiva divina no casamento como a base do lar, e vocês descobrirão quem é o verdadeiro inimigo — e não é o cônjuge".

Quando discutimos no casamento, presumimos que o problema é o cônjuge. E é exatamente isso que o diabo quer. Ele quer que você acredite que o problema está no seu cônjuge, não em você. Sabe que você jamais consertará o verdadeiro problema se achar que a pessoa com quem está discutindo é o problema. Mas seu cônjuge não é o problema. O problema é espiritual, ocasionado por nossa carne pecadora ou pelo astuto e rebelde inimigo de Deus.

Pense comigo: boa parte das discussões em seu casamento não têm nada a ver com o real motivo da briga, não é mesmo?

O que torna um casamento forte é amar com amor bíblico, fundamentado em paciência, bondade, lealdade, graça e tudo o mais que esteja em alinhamento com o propósito divino de aliança para o relacionamento conjugal.

Há algo mais profundo: uma necessidade não atendida, falta de confiança, falta de respeito, ou diversas outras coisas. É isso que está na raiz do problema e das discussões. No entanto, o que torna um casamento forte é amar com amor bíblico, fundamentado em paciência, bondade, lealdade, graça e tudo o mais que esteja em alinhamento com o propósito divino de aliança para o relacionamento conjugal.

Sim, é verdade que boa parte dos motivos de briga está ligada às consequências de nossas escolhas, bem como ao reino demoníaco que atua contra nós. Uma picuinha pode facilmente se transformar em um conflito que nos coloca no caminho do divórcio. E acabamos nos perguntando como algo tão pequeno foi capaz de destruir algo tão grande.

Isso é possível porque, repito, não é apenas uma coisinha. Trata-se da quebra da aliança do casamento por meio da falta de submissão (de ambos) à transcendência de Deus, da falta de alinhamento um com o outro e com Deus, ou da violação das regras de amor e respeito relacionadas à aliança.

É o mesmo que perguntar como um pequeno fruto do jardim do Éden foi capaz de causar tanto sofrimento. Ele causou tanto sofrimento para todas as gerações futuras porque não se tratava apenas de um pedaço de fruta. A grande questão era a consequência: a maldição, que veio da causa, isto é, a desobediência ao governo de Deus.

Se você não conseguir entender de verdade e corrigir o foco por meio de uma conexão espiritual com tudo aquilo que acontece em seu casamento, continuará a reclamar e se irritar com qualquer que seja o problema do momento. Continuará a colocar o foco no que está acontecendo, sem se dar conta da questão central que merece a culpa: a falha em se alinhar debaixo dos elementos fundamentais da aliança, a fim de se colocar na posição de receber as bênçãos que Deus prometeu. Afinal, não foi isso que aconteceu com Adão e Eva no jardim?

A grande questão não era exatamente o fruto, concorda? Na verdade, o problema foi a falha em cumprir as disposições da aliança de Deus. Foi a falha em levar a sério a Palavra do Senhor. Assim que a Palavra de Deus começa a ser distorcida e deformada, o inferno fica à solta. Testemunhamos isso não só com Adão e Eva, mas também com os filhos deles, quando Caim matou Abel. O casamento de Adão e Eva acabou por afetar o mundo inteiro, uma vez que Deus o destruiu no dilúvio. Até hoje, vivemos sob a maldição daquilo que eles fizeram no jardim.

Satanás se propôs levar Adão e Eva a fazer mais que apenas dar uma mordida em determinado fruto. Ele apareceu com a intenção de distorcer a imagem de Deus, uma vez que homem e mulher foram criados à imagem de Deus e juntos formavam a manifestação mais completa dessa imagem. Fez isso ao desafiar e mudar a Palavra de Deus, invertendo o papel do homem e da mulher e introduzindo uma presença demoníaca em suas decisões de vida. Satanás quer destruir seu casamento não só com esse objetivo em mente, mas porque sabe que, ao fazê-lo, também destruirá seu legado. Bagunçará o futuro de seus filhos e netos. Quem for o dono da família possuirá o futuro. A melhor maneira de Satanás entrar nas famílias é alvejando o casamento. É por isso que ele se aproximou de Eva como o fez no Éden, tentando sutilmente afastar o coração e a mente dela de Deus.

Deus é citado de maneira distinta nas Escrituras em referência ao relacionamento que tinha com a humanidade antes de Satanás aparecer diante de Eva e tentá-la a comer do fruto proibido. Toda vez que Deus é mencionado junto com Adão, é chamado de "Senhor Deus". Toda vez que lemos a palavra "Senhor" escrita em versalete, ela representa o nome de Deus, traduzido do termo *Yahweh*. Esse nome, na língua original, reflete o caráter divino e o relacionamento de aliança com o "mestre e governante absoluto".

> *Satanás quer destruir seu casamento porque sabe que, ao fazê-lo, também destruirá seu legado.*

No entanto, quando Satanás se aproximou de Eva a fim de persuadi-la a fazer o que não deveria, Satanás não se referiu a Deus usando o título que o próprio Deus usava para designar a si mesmo. Em vez disso, Satanás removeu o nome "Senhor" e perguntou apenas: "Deus realmente disse...?" (Gn 3.1). Por meio dessa redução sutil de termos, Satanás procurou tirar da conversa qualquer ligação com o domínio de Deus sobre o relacionamento com a humanidade. Ao fazê-lo, manteve intacto o conceito de religião. Afinal, ele mencionou "Deus". Mas eliminou o elemento relacional da autoridade divina. Satanás escolheu passar por cima de Adão e abordar Eva de modo a levá-la a crer que a autoridade, na verdade, era toda dela. Além disso, o maligno só contou a Eva sobre o bem que a árvore do conhecimento tinha a oferecer, sem mencionar coisa alguma acerca do mal que resultaria da ação dela. Satanás é ótimo em contar apenas metade da história.

Ao morder o fruto proibido por Aquele que tinha o direito de proibir, tanto Adão quanto Eva mudaram o ponto de vista de seu Criador, de "Senhor Deus" para "Deus". Com isso, deram fim ao relacionamento íntimo que haviam desfrutado com ele até então, encerrando também a liberdade da intimidade que antes apreciavam um com o outro. Não só isso; a decisão ainda podou o poder de domínio, que até então fluía até eles da parte do Governante supremo.

O principal motivo para Satanás despertar conflito em nosso relacionamento conjugal é por desejar inverter o domínio em nossa vida. Seu objetivo é destronar o único Rei verdadeiro, que reina sobre os dois cônjuges no casamento. Então Satanás quer oferecer a cada um a noção equivocada de que o ser humano tem sabedoria e capacidade para viver longe de Deus. Conforme aprendemos com Adão e Eva, e tenho certeza de que você pode comprovar isso em sua vida e em seu casamento, as decisões tomadas longe da sabedoria divina notoriamente acabam provocando mais mal do que bem.

Quando recebe permissão para acender a fogueira do descontentamento e do desprezo em nosso lar, Satanás distorce a imagem de Deus por meio de nós, os casais, e nos impede de exercer nosso domínio e cumprir nosso propósito. Basicamente, quando enxerga seu cônjuge como inimigo e deixa de reconhecer Satanás, o verdadeiro inimigo, você acaba sendo fisgado. Satanás faz tudo o que está ao alcance dele para limitar sua habilidade de cumprir o que Deus deseja fazer em vocês e por meio de vocês. Quando não enxergamos quem o inimigo realmente é — um ardiloso manipulador e enganador

As decisões tomadas longe da sabedoria divina notoriamente acabam provocando mais mal do que bem.

que sabe exatamente quais gatilhos apertar para colocar um cônjuge contra o outro —, acabamos reagindo o tempo inteiro ao cônjuge, em vez de reconhecer que Satanás é exatamente o agente que visa deter o que Deus está tentando fazer.

Ao destruir seu casamento, Satanás destrói o futuro de sua família e impacta negativamente a sociedade como um todo. É por isso que você deve orar por seu casamento e cultivar um relacionamento verdadeiro, em humildade, enquanto busca a sabedoria e a orientação de Deus, clamando por seu amor, sua graça e sua misericórdia em todas as coisas.

Fico feliz por poder contar que aquele casal da longa lista de problemas resolveu enxergar um ao outro e seu relacionamento por meio das lentes do propósito divino, tentando cultivar e manter aquilo que receberam. Com o tempo, vi o semblante da esposa se iluminar, como se ela tivesse se transformado em uma nova mulher. Também vi o marido desfrutar o relacionamento com a esposa que antes lhe causava pavor. Até hoje, eles levam uma vida plena juntos, na graça e no conhecimento do Senhor Jesus Cristo.

Identifique seu verdadeiro inimigo

Há alguns anos, o conhecido jogador de futebol americano Conrad Dobler participou do comercial de uma popular cerveja na televisão. Talvez você se lembre: em questão de segundos, ele conseguia incitar quase que um tumulto entre um grupo de espectadores. Provocados por ele, um lado exclamava: "É uma delícia de cerveja!", enquanto o outro retorquia: "Não, é um espetáculo!".

Quando a discussão estava prestes a se transformar em briga, a câmera voltava para Dobler, que estava saindo de fininho.

Acredite ou não, essa tática irônica criada pelos publicitários para vender cerveja contém uma lição espiritual para o casamento: é importante identificar quem é seu verdadeiro inimigo.

Os torcedores nas arquibancadas achavam que seus adversários eram aqueles que discordavam deles. Mas, na verdade, o público inteiro tinha apenas um inimigo: Conrad Dobler.

O mundo inteiro se divide em dois reinos rivais. O primeiro é o reino da luz ou da justiça, comandado por Deus. O outro é o reino das trevas ou do mal, comandado por Satanás. Ele é nosso inimigo — o único inimigo —, e nosso mundo é o campo de batalha onde os esforços dele para competir com Deus são exibidos. "Pois nós não lutamos contra inimigos de carne e sangue, mas contra governantes e autoridades do mundo invisível, contra grandes poderes neste mundo de trevas e contra espíritos malignos nas esferas celestiais" (Ef 6.12).

O Calvário foi o golpe final que selou o destino do diabo. Quando Jesus Cristo morreu na cruz, um cataclismo aconteceu: Satanás foi absoluta e totalmente derrotado. Foi alvejado sem esperança de recuperação, e ele sabe disso. Você pode até se perguntar: "Tony, se Satanás foi derrotado, então como ele ainda atrapalha meu casamento? Por que existem problemas que não conseguimos superar e desafios que somos incapazes de enfrentar? Se o inimigo foi tão completamente derrotado, por que ainda é tão poderoso?".

> *O Calvário foi o golpe final que selou o destino do diabo. Quando Jesus Cristo morreu na cruz, um cataclismo aconteceu: Satanás foi absoluta e totalmente derrotado.*

Satanás já foi derrotado. Mas, assim como muitas pessoas derrotadas na vida, ele não quer perder sozinho. Atuando como capelão do Dallas Mavericks, já vi bastante coisa no basquete. Em uma temporada recente, os Mavericks perderam muitos pontos nas eliminatórias. Foram derrotados bem antes do fim da temporada. Mesmo assim, na partida final, jogaram com paixão pela vitória. Por quê? Porque a perda para um time rival no fim da temporada poderia afetar as chances do adversário de ser campeão.

Em outras palavras: "Podemos até não passar para a etapa final, mas vocês também não vão!". No mundo dos esportes é assim que se joga. O casamento não é diferente no que diz respeito a Satanás. Ele não está mais em busca de obter a vitória final, mas, se conseguir derrotar e impedir você de vencer, terá alcançado o objetivo. A meta de Satanás para você e seu cônjuge é impedi-los de obter a vitória espiritual e arrastá-los para seu nível de derrota. Se você está salvo, o inimigo não conseguirá arrastá-lo para o inferno, mas pode tentar torná-lo incapaz e infeliz na terra.

Satanás sabe daquilo que o apóstolo Paulo nos contou, isto é, que Deus "nos abençoou em Cristo com todas as bênçãos espirituais nos domínios celestiais" (Ef 1.3). O diabo entende nosso potencial como indivíduos e como casais sob a aliança de domínio. Ele quer revogar nosso domínio para que o nome do Senhor não seja glorificado e o reino de Deus não avance na terra. Satanás está comprometido em nos impedir de alcançar nosso potencial.

Jamais conheceremos o poder de Deus se não houver tentação. Jamais conheceremos sua força se não houver a oportunidade de usar sua armadura.

Um dos motivos para Deus permitir que o inferno se manifeste na terra e que o diabo batalhe é dar a oportunidade de cada um de nós conhecer o nome do Senhor e reconhecer o poder que vem dele. Porque jamais conheceremos seu nome se não houver guerra. Jamais conheceremos seu poder se não houver tentação. Jamais conheceremos sua força se não houver a oportunidade de usar sua armadura. Por isso, ele permite que a guerra continue, muitas vezes de maneiras que nos levam a ficar de joelhos e o buscar, para que nos aproximemos dele cada vez mais.

A estratégia do inimigo

Satanás é muito eficaz quando atua em segredo, nos bastidores. Assim como Conrad Dobler no comercial que mencionei anteriormente, Satanás prefere que outros recebam o crédito pelo que ele faz. Aliás, Satanás ficaria totalmente feliz de convencê-lo de que ele não existe e o verdadeiro problema é seu cônjuge. É por isso que a maioria dos ataques do inimigo parece vir de outras fontes, principalmente da pessoa com quem você se casou.

Você às vezes imagina que seu casamento seria maravilhoso, não fosse por seu cônjuge? A maioria dos problemas no casamento remonta a questões relacionais. Você pode pensar que seu cônjuge está deixando sua vida infeliz. Ou talvez acredite que seus filhos ou colegas de trabalho estão provocando atritos em seu casamento.

No entanto, observe com mais cuidado e verá Satanás nos bastidores, controlando as cordas e apertando os botões. Ele usa pessoas para provocar sua queda espiritual, ao criar abismos entre você e seu cônjuge que abalam sua união e afastam seu foco de Deus.

A vida cristã é como a madeira em uma lareira. Tente acender uma única tora e logo descobrirá que ela não queimará por muito tempo. As toras trabalham melhor junto com outras. Assim também, sua capacidade de permanecer espiritualmente aceso depende de seu relacionamento com outras "toras" em sua vida e da proximidade de sua ligação com essas pessoas. A habilidade do casal de permanecer espiritualmente forte depende do relacionamento que têm um com o outro na presença do Senhor.

Com que frequência vocês oram juntos? Deve ser todos os dias. Com que frequência vocês oram por seu casamento? Mais uma vez, deve ser todos os dias, ou mesmo várias vezes ao dia. Vocês fazem culto juntos? Vão à igreja juntos? Conversam juntos sobre o sermão? Leem a Palavra de Deus juntos? Entendo que a vida é agitada, mas se vocês querem ter condições de passar pela vida juntos "até que a morte os separe", então o componente espiritual da vida deve ser parte integrante de sua identidade como casal.

Deus supre a força de que vocês necessitam para combater o diabo com sucesso. Isso pode parecer óbvio. Mas, considerando como temos tratado essa verdade, vale a pena repeti-la: "Sejam fortes no Senhor e em seu grande poder. Vistam toda a armadura de Deus, para que possam permanecer firmes contra as estratégias do diabo" (Ef 6.10-11).

Muitos de nós tendem a oscilar entre dois extremos no que diz respeito ao diabo. Alguns o superestimam. Tornam-se temerosos e tímidos, com medo de que o inimigo os ataque. Lembre-se: "O Espírito que está em vocês é maior que o espírito que está no mundo" (1Jo 4.4). Outros o subestimam. Sim, Satanás é um inimigo derrotado. Mas, muito embora ele não passe de um condenado à espera da execução, não é sábio dormir em sua cela.

Observe que, em nosso texto, o apóstolo Paulo nos orienta a ser fortes no Senhor. Em nossa humanidade, não temos o poder de vencer anjos, nem mesmo anjos caídos como o diabo e suas legiões. Salmos 8.4-5 deixa claro que Deus nos criou um pouco menor que os anjos.

A moral da história é esta: você não conseguirá derrotar o diabo por conta própria. Deus é o único capaz de colocar Satanás em seu devido lugar, e é exatamente isso que ele fará um dia. (Esse lugar é descrito para nós em Apocalipse 20.) Nesse meio-tempo, o Senhor limita o alcance de Satanás. Além disso, ele nos dá poder para alcançar a vitória em nossos encontros diários com as trevas.

Em Atos 19.13-17, lemos sobre alguns exorcistas judeus não convertidos à fé cristã que decidiram tentar expulsar demônios proferindo o nome de Jesus, como se fosse uma espécie de encantamento mágico. Diziam: "Ordeno que saia em nome de Jesus, a quem Paulo anuncia!". Certo dia, um espírito respondeu: "Eu conheço Jesus e conheço Paulo, mas quem são vocês?". O espírito pulou em cima deles, lhes deu uma bela surra e os mandou embora nus e feridos. O nome de Jesus não é uma fórmula mágica, embora alguns o usem dessa maneira ao longo da vida. A força de Paulo e a nossa força são consequências de uma intimidade crescente e permanente com o Senhor, não de um encantamento ou fórmula mágica. Lembre-se de que os indivíduos invocavam a "Jesus, a quem Paulo anuncia".

A vitória em seu casamento requer que seu relacionamento pessoal com Jesus seja íntimo, não terceirizado.

A vitória em seu casamento requer que seu relacionamento pessoal com Jesus seja íntimo, não terceirizado. É fórmula certa para o fracasso precisar pegar emprestada a fé de outro a fim de lutar por seu casamento. Sua força não é acumulada ou merecida, mas suprida pela graça de Deus, que o capacita a levar a vida de fé para a qual ele o chamou e que só pode ser acessada por meio da comunhão direta com ele.

O apóstolo Paulo escreveu: "Embora sejamos humanos, não lutamos conforme os padrões humanos. Usamos as armas poderosas de Deus, e não as armas do mundo, para derrubar as fortalezas do raciocínio humano e acabar com os falsos argumentos" (2Co 10.3-4). A batalha contra Satanás em seu lar exige mais que uma resolução de ano-novo e uma boa dose de força de vontade. A guerra espiritual requer armas espirituais, como as descritas para nós em Efésios 6.13-17. Abordo em maior profundidade a batalha espiritual no livro intitulado *Victory in Spiritual Warfare* [Vitória na batalha espiritual], mas falarei brevemente sobre o assunto aqui.

Consigo imaginar Paulo em uma cela de prisão, ditando a carta à igreja de Éfeso. Talvez ele tenha feito uma pausa, em busca da ilustração adequada que o ajudaria a comunicar essa verdade fundamental. De repente, seu olhar se volta para o centurião romano a quem estava acorrentado. Observando as diversas partes do uniforme do guarda, o apóstolo começa a descrever as partes cruciais da armadura considerada "padrão" no exército de Deus:

> Vistam toda a armadura de Deus, para que possam resistir ao inimigo no tempo do mal. Então, depois da batalha, vocês continuarão de pé e firmes. Assim, mantenham sua posição, colocando o cinto da verdade e a couraça da justiça. Como calçados, usem a paz das boas-novas, para que estejam inteiramente preparados. Em todas as situações, levantem o escudo da fé, para deter as flechas de fogo do maligno. Usem a salvação como capacete e empunhem a espada do Espírito, que é a palavra de Deus.
>
> Efésios 6.13-17

Você só terá a vitória que está à sua disposição quando vestir e usar toda a armadura de Deus. Ele torna acessíveis esses instrumentos de batalha para você, mas não o força a usá-los ou empunhá-los. Ele não tem fé em seu lugar. Não levanta o escudo por você. Não força a paz, a verdade ou a justiça em você. No seu casamento e na sua vida pessoal, você deve batalhar do jeito de Deus, com a armadura dele, contra um inimigo que tenta derrubá-lo todos os dias e até a cada hora.

Certa vez, um garotinho foi ao zoológico com o pai. Enquanto passavam pela jaula dos leões, um dos animais deu um rugido feroz. Assustado, o menino se agarrou ao pai, cobriu o rosto e começou a chorar. Então o pai lhe perguntou:

— Qual é o problema?

Ao que o menino respondeu:

— Não está vendo o leão?

— Sim — disse o pai. — Mas também estou vendo a jaula.

Queridos cônjuges, Satanás é um inimigo derrotado. É um leão enjaulado. A vitória em seu casamento deve se fundamentar na realidade de que Deus já lhes concedeu tudo de que necessitam para viver à luz dessa verdade, a fim de desfrutarem tudo o que ele planejou para vocês e se tornarem quem ele os criou para ser. Mas o Senhor não coloca a armadura em vocês. Vocês é que precisam se vestir todos os dias para que vivenciem a vitória que já lhes pertence.

4
Votos

Você já se perguntou por que a Bíblia dedica tanto espaço à questão das alianças? Em Gênesis 8—9, Deus faz uma aliança com Noé após o dilúvio, prometendo que jamais destruiria a terra novamente. Em Gênesis 12, Deus faz uma aliança com Abraão, prometendo dar-lhe uma semente — um filho — que seria uma bênção para as nações. Em Êxodo 19—24, Deus faz uma aliança com os israelitas no monte Sinai após os libertar da escravidão no Egito.

Deus também faz uma aliança com o rei Davi, prometendo que edificaria uma casa para ele e estabeleceria seu trono para sempre (2Sm 7). Há também a nova aliança, prometida pela primeira vez em Jeremias 31.31, mas cumprida em Jesus, que a confirmou com seu sangue derramado na cruz (Lc 22.20). Aliás, a ideia da antiga aliança com Israel e da nova aliança com Cristo estabelece a principal divisão da Bíblia entre Antigo e Novo Testamento.

Por que a Bíblia se ocupa tanto do tema das alianças, e o que isso tem a ver com o seu casamento? Permita-me responder primeiro à pergunta bíblica, e em seguida eu a relacionarei ao seu casamento.

O principal motivo para o conceito das alianças ser um tema tão forte na Bíblia é que Deus administra ou governa seu reino por intermédio da aliança. O casamento é uma união suprema da aliança, designado por Deus para permitir que ambos os cônjuges maximizem completamente seu potencial em Cristo. A fim de entender como extrair o máximo de nosso casamento sob o domínio do Senhor, precisamos compreender como as alianças funcionam e, em particular, como elas estão ligadas ao casamento.

O que é aliança?

Antes de abordar a ligação tangível entre as alianças e a saúde e vitalidade do casamenteo, gostaria de apresentar uma breve síntese das alianças bíblicas. Isso dará o contexto apropriado para uma maior consciência da preeminência que a aliança conjugal deve ocupar. Na Bíblia, a aliança é um vínculo criado por Deus. Trata-se de "um relacionamento de compromisso espiritual entre Deus e seu povo, incluindo certos acordos, condições, benefícios, responsabilidades e consequências". O poder, a provisão e a autoridade de Deus em relação a seu povo operam segundo as alianças. Sempre que o Senhor desejava formalizar o relacionamento que tinha com seu povo, estabelecia uma aliança.

> *O casamento é uma união suprema da aliança, designado por Deus para permitir que ambos os cônjuges maximizem completamente seu potencial em Cristo.*

Uma aliança envolve muito mais que um contrato. Na aliança bíblica, o indivíduo se compromete com muito mais que uma parceria de negócios; ele entra em um relacionamento íntimo com a outra pessoa (ou pessoas) envolvida(s) na aliança. Essa é a primeira de três diferenças que distinguem uma aliança de um contrato.

Quando Deus fez uma aliança com o povo de Israel, a linguagem usada foi a de amor e preocupação mútua (Dt 6.4-5), semelhante ao vocabulário que marido e mulher usam quando ingressam na aliança conjugal. A nova aliança de Jesus também exemplifica esse tipo de relacionamento entre Deus e a humanidade.

A segunda distinção entre aliança e contrato é que, na Bíblia, a aliança tinha o propósito de abençoar as partes envolvidas no relacionamento. Por exemplo, em Deuteronômio 29.9 Moisés assim advertiu os israelitas a cumprirem a aliança com Deus: "Obedeçam aos termos desta aliança, para prosperarem em tudo que fizerem". Quando Moisés fala sobre prosperar em tudo o que o povo faz, subentende mais que mero ganho material; ele está incluindo aquilo que Cristo veio garantir para nós: uma vida plena (Jo 10.10).

A terceira diferença entre aliança e contrato é que a aliança é confirmada pelo sangue. Por exemplo, Deus levou tão a sério seu compromisso relacional em abençoar Israel que selou a aliança com o sangue ao oferecer um sacrifício (Êx 29.16-46). Deus também fez uma aliança com Abrão em Gênesis 15 e 17, reafirmando a promessa de dar um filho ao patriarca. Em Gênesis 17, encontramos a ligação da aliança com o sangue, e de fato, a partir de então, essa confirmação pelo sangue se tornou um ritual contínuo de afirmação da participação na aliança divina de bênção.

A aliança é um assunto sério, e sua confirmação por meio do sangue revela até que ponto Deus está disposto a ir para estabelecer e cumprir as alianças que faz com seu povo. No casamento, quando os dois cônjuges virgens se unem e entram em relacionamento sexual na noite de núpcias, foi estabelecido por Deus que a mulher sangrasse nesse primeiro encontro, confirmando assim a aliança do casamento.

Outra maneira de entender a aliança é considerá-la sinônimo de *cobertura*. Se e quando agimos segundo a aliança divina, estamos operando debaixo da cobertura divina. Reflita nesta analogia: quando está chovendo, a maioria das pessoas usa um guarda-chuva. O guarda-chuva as protege da chuva. Ele não faz a chuva parar, mas a impede de cair nas pessoas. Não muda o que acontece em volta do indivíduo, mas altera o que acontece com quem está ali embaixo.

A vida sob a cobertura divina pode não mudar os desafios que você enfrenta no casamento, mas, coberto por ele, tais desafios não o afetarão — levando-o a reagir, se preocupar ou discutir — no nível que afetariam se você não estivesse debaixo da cobertura divina. Por isso é tão crucial para os cônjuges entender o propósito da aliança do casamento. Os votos conjugais são uma prática séria, que trazem consigo bênção ou maldição, dependendo de como esses votos são honrados ou desconsiderados.

> *A aliança é um assunto sério, e sua confirmação por meio do sangue revela até que ponto Deus está disposto a ir para estabelecer e cumprir as alianças que faz com seu povo.*

A cobertura da aliança é bem semelhante à armadura de Deus que Paulo mencionou em Efésios 6. A armadura está lá para proteger você, mas o Senhor jamais o forçará a usá-la. Ele não irá amarrar o escudo da fé à sua mão. Você precisa pegá-lo. Está lá caso precise, mas depende de você usá-lo da maneira correta. Assim também, se estiver chovendo e você tiver um guarda-chuva mas decidir não usá-lo, ficará molhado. Você precisa decidir.

A fim de se beneficiar por completo da cobertura divina — seu poder, provisão, autoridade, paz e bênção — você precisa não só estar *na* aliança, mas também deve se alinhar *debaixo* do domínio da aliança em seu casamento. Primeiro, porém, é importante entender as cinco características que definem uma aliança criada por Deus.

1. *Transcendência*. Isso quer dizer que Deus está no controle. Talvez você esteja mais familiarizado com o termo *soberania*, que significa a mesma coisa. Deus é distinto. Ele não faz parte da criação. Em vez disso, é separado dela. Situa-se acima e fora dela. As alianças são tanto iniciadas como governadas por Deus. A primeira coisa que precisamos entender para agir adequadamente debaixo da aliança divina, sobretudo dentro da aliança conjugal, é que Deus está no comando.

> *A primeira coisa que precisamos entender para agir adequadamente debaixo da aliança divina, sobretudo dentro da aliança conjugal, é que Deus está no comando.*

Precisamos decidir se pediremos "Seja feita minha vontade" no casamento ou "Seja feita tua vontade". É por isso que o Senhor diz que ninguém tem permissão para separar aquilo que ele mesmo uniu.

2. *Hierarquia*. As alianças de Deus são administradas por meio de uma cadeia de comando, ou hierarquia, que funciona sob sua autoridade suprema. Analisamos 1Coríntios 11.3 anteriormente, mas o texto funciona aqui também. Nessa passagem, Paulo diz: "Quero que saibam de uma coisa: o cabeça de todo homem é Cristo, o cabeça da mulher é o homem, e o cabeça de Cristo é Deus". Isso significa que todos no reino de Deus operam sob autoridade, isto é, debaixo de um "cabeça". Isso se aplica até mesmo à vida da Trindade, na qual Cristo é

obediente às ordens do Pai a fim de cumprir o plano de Deus para a redenção de nosso mundo.

A bênção resultante da participação no relacionamento de aliança com Deus passa por essa cadeia de comando. Aliás, 1Coríntios 7.14 destaca até que ponto vai essa hierarquia ao permitir que as bênçãos de Deus fluam para um cônjuge: "Pois o marido descrente é santificado pela esposa, e a esposa descrente é santificada pelo marido. Do contrário, os filhos seriam impuros, mas eles são santos".

3. *Ética.* A aliança de Deus contém regras específicas (ou éticas), condições e diretrizes que governam o relacionamento de bênção com as partes da aliança. Analisemos mais uma vez o primeiro casamento. Quando colocou Adão no jardim do Éden, Deus estruturou o relacionamento que tinha com o ser humano ao estabelecer uma regra específica: ele não podia comer da árvore do conhecimento do bem e do mal. As alianças operam por meio de uma regra de causa e consequência. Se Adão (e Eva) houvesse obedecido à ordem de Deus, teria desfrutado toda a bênção de viver no jardim; mas, quando transgrediu essa ordem (com Eva), foi expulso. Adão e Eva precisavam decidir se seriam submissos à regra divina ou se dependeriam da razão humana, e essa escolha determinou o rumo que a vida e o casamento deles tomaram. A obediência ou desobediência à Palavra revelada de Deus era a chave para um relacionamento celeste ou infernal.

O mesmo se aplica ao povo de Israel em sua aliança com Deus. Josué, líder de Israel depois de Moisés, recebeu a seguinte ordem: "Tenha o cuidado de cumprir toda a lei que meu servo Moisés lhe ordenou. Não se desvie dela nem para um lado nem para o outro. Assim você será bem-sucedido em tudo que fizer" (Js 1.7).

4. *Sanções*. As alianças de Deus também contêm um juramento, uma sanção ou promessa que o participante da aliança deve fazer. Esse juramento destaca que as bênçãos pela obediência e as maldições pela desobediência são obrigatórias para o participante da aliança. O exemplo mais claro se encontra em Deuteronômio 27—30, em que Moisés lê para os israelitas a lista de bênçãos e maldições ligadas à aliança de Deus com seu povo. Moisés encerra a lista com uma advertência final: "Hoje lhes dei a escolha entre a vida e a morte, entre bênçãos e maldições. [...] Escolham a vida" (30.19).

5. *Herança*. Cada uma das alianças de Deus contém repercussões de longo prazo ou desdobramentos de herança geracional pela obediência ou desobediência. Israel foi advertido de que a desobediência aos Dez Mandamentos resultaria na transmissão da pena "até a terceira e quarta geração dos que me rejeitam" (Êx 20.5). Por isso, sempre devemos estar cientes de que as consequências de nossas decisões no casamento afetam não só a nós e ao cônjuge, mas podem ter também implicações para nossos filhos, netos e outros dentro de nossa esfera de influência, que é exatamente o que estamos vivenciando na degeneração da cultura.

> *Esse juramento destaca que as bênçãos pela obediência e as maldições pela desobediência são obrigatórias para o participante da aliança.*

Renovação dos votos

Quando você se casou, fez um voto de compromisso jurídico e espiritual. O voto cerimonial que vocês fizeram um com o outro é uma demonstração pública da aliança de casamento perante Deus. Isso pode se comparar ao ato de batismo, quando você fez uma nova aliança de salvação com Jesus Cristo.

Os dois votos têm um ato sucessor que remonta a esse acordo inicial. Tanto no batismo quanto na salvação, o ato de lembrança do voto é o que chamamos de comunhão. A intimidade sexual, assim como a comunhão da ceia do Senhor, é a recordação do voto feito por ocasião do casamento, a declaração de que dois indivíduos se uniram como uma só carne.

A intimidade sexual é bem mais importante e poderosa do que muitos de nós reconhecem. É para o casamento aquilo que a ceia do Senhor é para a cruz: a lembrança do voto fundamental da aliança. Em geral, a intimidade sexual é entendida somente no que diz respeito à sua dimensão física. Não que a parte física do sexo não seja maravilhosa — é sim! Mas por que parar por aí? A intimidade sexual é uma força poderosa para enriquecer sua vida não só fisicamente, mas espiritualmente também. Além de revisitar o voto do relacionamento conjugal, a intimidade consiste em uma expressão contínua de compromisso, gentileza e paixão. Uma das piores coisas que se pode fazer é tornar ritualizado o que deveria ser sagrado. Jamais permita que a intimidade sexual, algo tão completamente profundo, torne-se algo comum.

Fico perplexo com a porcentagem de casais que eu aconselho enfrentando dificuldades na área da sexualidade! Ou a vida sexual se tornou tão dormente que não há nenhuma atividade, ou ocorre abandono ou imoralidade sexual por um dos cônjuges. Poucas coisas afetam tão negativamente o casamento quanto o desvio do que Deus planejou para o sexo dentro do relacionamento conjugal. Infelizmente, penso que boa parte disso acontece pelo simples fato de que os cônjuges não honram as relações sexuais, nem a enxergam pelas lentes da renovação dos votos de sua aliança.

Isso pode ser comparado à frustração que o apóstolo expressou com a igreja de Corinto. Os cristãos daquela cidade haviam começado a abusar da mesa de comunhão e, como resultado, estavam sofrendo as consequências de seus atos (1Co 11.27-32).

Além de revisitar o voto do relacionamento conjugal, a intimidade consiste em uma expressão contínua de compromisso, gentileza e paixão.

O mesmo está acontecendo em muitos casamentos hoje porque o significado do sexo foi tão distorcido que perdeu seu valor, e os casais estão sofrendo as consequências.

Deus não faz pouco caso das alianças ou das coisas simbolicamente ligadas a elas. Quando apresentamos a estrutura e o propósito da aliança divina, vimos como esse voto de compromisso legal tem implicações para a nossa vida e para a vida das pessoas ao nosso redor no que tange ao envolvimento divino. Reflita nesta reveladora passagem de Malaquias:

> Há outra coisa que vocês fazem. Cobrem de lágrimas o altar do Senhor, choram e gemem porque ele não dá atenção às suas ofertas nem as aceita com prazer. E ainda perguntam: "Por quê?". Porque o Senhor foi testemunha dos votos que você e sua esposa fizeram quando jovens. Mas você foi infiel, embora ela tenha continuado a ser sua companheira, a esposa à qual você fez seus votos de casamento.
>
> Acaso o Senhor não o fez um só com sua esposa? Em corpo e em espírito vocês pertencem a ele. E o que ele quer? Dessa união, quer filhos dedicados a ele. Portanto, guardem seu coração; permaneçam fiéis à esposa de sua mocidade.
>
> Malaquias 2.13-15

As palavras que vocês disseram um para o outro no dia do casamento, quando se prometeram amor, honra e cuidado mútuo, não foram uma mera parte da cerimônia. Elas foram proferidas no contexto de transformar seu relacionamento em uma aliança com relevância legal, debaixo do princípio de dois que se tornam um só (Mc 10.6-8). Deus leva os votos conjugais tão a sério que, em Malaquias, disse ao povo que não aceitaria a adoração porque as pessoas estavam transgredindo esses votos. Imagine como o Senhor deve ter ficado ofendido para recusar a adoração daqueles que criou à sua imagem com o propósito específico de adorá-lo. Essa é a relevância crucial de honrar a aliança do casamento.

É preciso três

Conforme eu já disse, o casamento é uma aliança sagrada, não um mero contrato social. Consiste em mais que um relacionamento arranjado com o propósito de procriação ou até mesmo de companheirismo. O casamento proporciona um ambiente de aliança único, no qual você tem uma oportunidade ainda maior de viver seu destino, tanto na esfera individual quanto conjunta.

Eclesiastes é um livro cheio de sabedoria profunda, com verdades reflexivas, tais como este princípio: "Uma corda trançada com três fios não arrebenta facilmente" (4.12). Esse é um segredo importante para um casamento de sucesso. Quando duas pessoas fazem uma aliança, ingressam nela juntamente com uma terceira pessoa: Deus. Assim como a Trindade é formada por três pessoas que são um — Deus Pai, Deus Filho e Deus Espírito Santo —, o casamento é uma réplica terrena dessa Trindade divina — marido, mulher e Deus.

Não dá para deixar Deus lá no altar e esperar ter um casamento próspero. Deus precisa ir para dentro de seu lar. Quando isso acontecer, e você se alinhar dentro dos parâmetros de amor, respeito, compromisso e compaixão que ele estipulou, o Senhor poderá fazer maravilhas em seu casamento. Você não é capaz de fazer isso acontecer sozinho. Também não é possível fazer isso apenas junto com o cônjuge. Deus é o fio que não só os mantém unidos, como também os fortalece e os capacita para tudo o que ele planejou que vocês realizassem e desfrutassem.

O poder de Deus é liberado para fluir melhor quando você reconhece e respeita a aliança do casamento, não quando apenas considera o matrimônio um companheirismo conveniente no qual ingressou. Quando Cristo ressuscitou dentre os mortos, deu à humanidade acesso ao poder de sua ressurreição (Rm 6.4; Fp 3.10) e a presença do Espírito Santo (Jo 14.16-18). Esse poder tem condições de capacitar você e seu cônjuge a viverem juntos, amarem um ao outro, confiarem um no outro e partilharem a vida um com o outro até que a morte os separe.

Deus é o fio que não só os mantém unidos, como também os fortalece e os capacita para tudo o que ele planejou que vocês realizassem e desfrutassem.

Deus criou o casamento e, por causa disso, sabe exatamente do que você necessita para que seu relacionamento conjugal não apenas sobreviva, mas também prospere. Comprometa-se com o Senhor, agindo dentro dos parâmetros de sua aliança conjugal divinamente orquestrada. Enquanto isso, ele fortalecerá seu casamento, transformando-o em algo que ele poderá usar não só para sua própria glória, mas também para proporcionar realização, propósito e prazer a você e seu cônjuge.

Também é preciso um

Em Gênesis 2.24, lemos: "Por isso [porque Eva foi tirada de Adão] o homem deixa pai e mãe [Adão não tinha pais, mas os teria deixado por Eva] e se une à sua mulher, e os dois se tornam um só".

Esse versículo resume o que deve formar um relacionamento conjugal: deixar, unir-se e tornar-se um. Além de serem necessários três para formar um casamento, também é preciso que os dois cônjuges se unam como uma só unidade — marido e mulher.

> *O casamento não é um solo, mas um dueto tocando a mesma música.*

É uma grande tragédia que, embora a maioria das pessoas já tenha escutado essas palavras tantas vezes, não saibam o que significa a verdadeira unidade.

Entrarei em maiores detalhes no próximo capítulo, mas, apenas a título de introdução, unidade não significa mesmice. Unidade é trabalhar em conjunto visando o mesmo objetivo. As pessoas que trabalham juntas rumo ao mesmo objetivo precisam, por necessidade, comunicar-se, cooperar e unir forças ao mesmo tempo que deixam de lado ou superam os pontos fracos um do outro. Você faz parte do time do seu cônjuge. Quanto mais fortes vocês são juntos, mais fortes serão individualmente. Isso não só requer tempo, como também exige um compromisso autêntico. O casamento não é um solo, mas um dueto tocando a mesma música.

Mulher, mesmo quando um homem diz que a ama, e por mais que você goste de pensar que ele está prometendo partilhar a vida inteira com você, é possível que ele esteja apenas planejando inseri-la na agenda dele. Talvez não planeje cortar nada, nem ceder nada por você. Esse tipo de homem não entende o que é casamento de verdade.

Deus pediu aos homens de maneira específica que abrissem mão de seus vínculos mais próximos a fim de honrar a esposa: "Por isso o homem *deixa* pai e mãe e se *une* à sua mulher" (Gn 2.24). Uma vez que a maior necessidade da mulher dentro do casamento é se sentir segura, o marido deve transformar isso em prioridade.

O casamento é uma união baseada em uma aliança, planejada para fortalecer a habilidade de cada cônjuge de cumprir o plano de Deus na própria vida. Repito: são necessários dois indivíduos no casamento, que se tornam ainda mais fortes como um só.

5
União

No cerne do primeiro casamento registrado para nós em Gênesis 2 encontra-se o princípio da unidade, também conhecido como união. Isso porque a natureza de Deus é formada por unidade, junto com a diversidade da Trindade. Também porque os propósitos do reino de Deus são realizados somente dentro do contexto da unidade. Foi por isso que Jesus disse, em Mateus 12.25, que "todo reino dividido internamente está condenado à ruína. Uma cidade ou família dividida contra si mesma se desintegrará".

É por isso que a grande prioridade do maligno é causar discórdia e desarmonia nos lares e casamentos. Conforme mencionei antes, Satanás tenta dividir, pois tudo o que divide ele consegue conquistar. A desunião mantém Deus em xeque e impede que seu reino se expanda. De igual modo, distorce a imagem de sua glória.

> *Quando os cônjuges se concentram em permanecer dois ao mesmo tempo que Deus tenta criar neles unidade, acabam agindo, sem perceber, de maneira contrária aos propósitos divinos.*

Quando os cônjuges se concentram em permanecer dois ao mesmo tempo que Deus tenta criar neles unidade, acabam agindo, sem perceber, de maneira contrária aos propósitos divinos. O princípio da unidade precisa ser compreendido e buscado com vigor para que o casamento experimente de fato a presença manifesta de Deus.

No selo oficial dos Estados Unidos da América e em boa parte da moeda nacional encontra-se impressa uma expressão bem conhecida do latim: *E pluribus unum*, ou seja, "de muitos, um". Ela começou a ser usada logo no início da Revolução Americana, pois o segredo para conquistar independência da Grã-Bretanha era unir as várias colônias norte-americanas a fim de resistir àquele governo estrangeiro e opressor. Isso significa que pessoas com interesses, sistemas políticos e experiências de vida diferentes precisavam encontrar uma maneira de unir esforços para não serem esmagadas pela superioridade do poder militar britânico.

Ao assinar a declaração de independência, Benjamin Franklin deu a célebre declaração: "Cavalheiros, precisamos agora viver todos juntos, ou sem dúvida eu lhes garanto que morreremos separados". Suas palavras refletem esse sentimento de que a união precisa ser trabalhada a partir do compromisso compartilhado de derrotar um inimigo em comum.

No cerne da história dos Estados Unidos encontra-se o objetivo de formar, nas palavras do preâmbulo à Constituição nacional, uma "união mais perfeita", e de formar também a história coincidente dos poderes e das pressões que podem fortalecer essa união ou colocá-la em risco. Quando olhamos em volta para o que aflige a nação hoje, fica claro que estamos unidos por um novelo muito frágil, que requer atenção constante a fim de proteger e manter essa "união mais perfeita".

Isso não é menos verdadeiro em relação a nosso casamento. As divisões, as brigas e os conflitos tão tragicamente comuns nos relacionamentos conjugais afetam a todos nós, de uma forma ou de outra.

Em João 17.21, Jesus fez uma oração por seus discípulos e por seus futuros seguidores: "Minha oração é que todos eles sejam um, como nós somos um, como tu estás em mim, Pai, e eu estou em ti. Que eles estejam em nós, para que o mundo creia que tu me enviaste". Se nossa união ou unidade é, de acordo com Jesus, tão crucial para nosso testemunho, o que as brigas internas e divisões dizem a nosso respeito para um mundo que nos observa? Essa área da unidade está fundamentalmente ligada a nossa missão encontrada em Mateus 6.33, por isso devemos fazer "todo o possível" para nos manter "unidos no Espírito, ligados pelo vínculo da paz" (Ef 4.3).

Reconheça o medidor

Analisemos a questão da unidade na carta de Paulo à igreja de Éfeso, a fim de encorajar o espírito de união no casamento:

> Portanto, como prisioneiro no Senhor, suplico-lhes que vivam de modo digno do chamado que receberam. Sejam sempre humildes e amáveis, tolerando pacientemente uns aos outros em amor. Façam todo o possível para se manterem unidos no Espírito, ligados pelo vínculo da paz. Pois há um só corpo e um só Espírito, assim como vocês foram chamados para uma só esperança. Há um só Senhor, uma só fé, um só batismo, um só Deus e Pai de tudo, o qual está sobre todos, em todos, e vive por meio de todos.
> Efésios 4.1-6

Efésios começa com uma série de lembretes aos cristãos de tudo o que Deus realizou por meio da vida, morte e ressurreição de Cristo, bem como de todos os benefícios que chegam até nós por causa de sua obra em nosso favor. Nas palavras de Paulo, Deus "nos abençoou em Cristo com todas as bênçãos espirituais nos domínios celestiais" (1.3) e continuará, nas eras vindouras, a "apontar-nos como exemplos da riqueza insuperável de sua graça, revelada na bondade que ele demonstrou por nós em Cristo Jesus" (2.7).

Bem no final desse grande lembrete (caps. 1—3) vem o desafio aos cristãos efésios para que se mantenham "unidos no Espírito, ligados pelo vínculo da paz" (4.3). Paulo usa palavras fortes, suplicando que eles façam "todo o possível" para preservar essa unidade. Em outras palavras, à luz dessas muitas bênçãos, eles tinham uma tarefa a fazer e precisavam trabalhar duro na manutenção desse espírito de união mútua. Sendo assim, o que seria essa ideia de união, e por que ela era tão importante para Paulo? E, por implicação, por que é tão importante para nós no relacionamento conjugal?

Abordemos primeiro a definição de *unidade*. Nos seis primeiros versículos de Efésios 4, as palavras *um*, *uns* e *uma* são usadas oito vezes. Aliás, no grego, o termo *unidos* que Paulo usa aqui é uma variação da palavra *um*. Logo, em sua forma mais simples, a unidade acontece quando um grupo de pessoas é caracterizado por "união", um propósito, visão, ou direção em comum.

Talvez eu consiga ilustrar melhor essa ideia de unidade ao expressar o que não é união. Conforme afirmei no capítulo anterior, união ou unidade não significa uniformidade ou mesmice. União não é ser exatamente igual ao cônjuge. A variedade criativa de Deus pode ser vista em todos os lugares à nossa volta. Deus criou as coisas com formas, cores, tamanhos e estilos diferentes. No entanto, tudo isso, de acordo com Salmos 19.1, foi estabelecido com o propósito único de testemunhar a "glória de Deus". União não é uniformidade, mas singularidade, movendo-se rumo a um objetivo em comum.

Nos esportes, união não quer dizer que todos os jogadores no campo ou no estádio jogam na mesma posição. Cada jogador tem talento, habilidade, identidade e responsabilidade únicas, mas o objetivo para o qual se direcionam é o mesmo. Um time de basquete pode ter posições diferentes para os cinco jogadores em quadra, mas a cesta para a qual eles apontam é a mesma. Na cozinha, a união dos ingredientes produz uma refeição deliciosa, mas a mesma comida jamais seria preparada se cada ingrediente fosse exatamente igual aos outros.

Esse conceito de unidade é bem parecido com a oração que Jesus fez em seus últimos momentos com os discípulos: "Que todos eles sejam um" (Jo 17.21). A unidade pela qual Jesus orou seguia o exemplo da unidade de relacionamento entre o Pai e o Filho. Aliás, Jesus pediu que os discípulos desfrutassem o mesmo relacionamento: "Eu estou neles e tu estás em mim. Que eles experimentem unidade perfeita, para que todo o mundo saiba que tu me enviaste e que os amas tanto quanto me amas" (v. 23).

Quando Deus criou a mulher a partir da costela do homem, resultando na criação de duas pessoas separadas, estava ao mesmo tempo implantando o desejo de reconexão em unidade a fim de experimentar plenitude. Essa unidade foi projetada de maneira singular com o objetivo de unir a masculinidade e a feminilidade para espelhar a imagem de Deus de forma unificada. É por isso que qualquer união fora desse projeto heterossexual da aliança do casamento é um "elo estranho", que distorce a imagem de Deus.

Observe que Paulo definiu a união para a qual somos chamados de unidade relacional "no Espírito" (Ef 4.3), não a unidade centrada em uma agenda pessoal, um processo ou até mesmo um espaço de vida em comum. Isso acontece porque a união não consiste em uma posição, mas em uma pessoa — o Espírito Santo. Não envolve um processo de doze passos; antes, concentra-se em um relacionamento de unidade com o Deus vivo, por causa da obra de Cristo na presença do Espírito Santo e por meio dela. Conforme explicou Paulo, "há um só corpo e um só Espírito, assim como vocês foram chamados para uma só esperança. Há um só Senhor, uma só fé, um só batismo, um só Deus e Pai de tudo, o qual está sobre todos, em todos, e vive por meio de todos" (v. 4-6).

O mais perto que chegamos da união no casamento acontece quando permitimos não só que o Espírito faça sua obra em nós, mas também quando direcionamos essa obra um para o outro e a celebramos.

Isso quer dizer que a união conjugal começa com a unidade relacional que desfrutamos por causa da obra de Deus mediante seu Espírito Santo. O mais perto que chegamos da união no casamento acontece quando permitimos não só que o Espírito faça sua obra em nós, mas também quando direcionamos essa obra um para o outro e a celebramos.

Infelizmente, alguns casais ingressam no relacionamento conjugal com uma visão distorcida de unidade, e suas expectativas nada realistas contribuem para decepções futuras. Vejo isso às vezes em cerimônias de casamento que realizo. Com frequência uma parte da cerimônia inclui duas velas, acendidas antes do culto e então unidas para iluminar uma vela totalmente nova, simbolizando a união do casamento. Mas é um erro quando o noivo e a noiva apagam em seguida as velas individuais.

Digo que é um erro porque, a menos que haja proteção e respeito intencional à identidade, aos propósitos, talentos, chamados e habilidades de cada um, o casal corre o risco de cair em um casamento que os consome, em lugar de os incentivar à grandeza. Quando me reúno com casais cuja cerimônia de casamento irei realizar, sugiro que não apaguem as velas individuais após acenderem a nova vela unificada. Imagine escutar uma sinfonia na qual todos os instrumentos musicais são flautas. Não demorará muito para você ir embora do concerto. Em vez disso, você pode escutar uma bela música na sinfonia justamente porque cada instrumento único toca em harmonia. É isso que a união bíblica no casamento deve representar: a vida distinta de dois indivíduos que experimentam o propósito de Deus para cada um deles, em harmonia com o outro.

O Pai não se tornou Filho a fim de se unir a Cristo na Trindade. Tampouco o Espírito Santo se tornou Pai. O motivo para a Trindade trabalhar tão bem no desempenho de suas diversas funções em nossa vida é o fato de cada membro honrar e respeitar o outro, sem tentar se tornar o outro.

O que estou dizendo pode parecer meio fora de lugar em um capítulo dedicado especificamente ao casamento, mas a menos que entendamos e vivamos em *verdadeira* unidade no casamento, corremos o risco de engolir um ao outro pouco tempo depois do "sim". Os casamentos mais saudáveis que conheço são aqueles nos quais ambos os cônjuges conservam identidade e propósitos separados, ao mesmo tempo que se unem sob o propósito partilhado de cumprir a regra do domínio divino em sua parceria e por meio dela.

Esse entendimento de união oferece a cada pessoa no casamento a oportunidade de desfrutar ao máximo a liberdade que Deus planejou para suas criaturas. Dentro dos limites do relacionamento conjugal, tanto o marido quanto a esposa devem buscar plenamente seu chamado debaixo da autoridade divina, usando seus dons para promover o potencial do outro em uma atmosfera de confiança e respeito mútuos, contanto que as prioridades bíblicas da unidade familiar não sejam comprometidas (conforme ilustra a mulher virtuosa de Provérbios 31).

Muitos casamentos *sufocam* em vez de *liberar* os cônjuges para se tornarem tudo o que Deus os chamou para ser. Por meio da inspiração de padrões e exigências culturais e religiosos antibíblicos, a plena expressão da autoridade do reino que poderia ser vivenciada pelo cônjuge dentro do casamento, bem como seu impacto coletivo, torna-se limitada. O casamento do reino libera e expande — não restringe nem limita — o domínio legítimo do papel de cada cônjuge na esfera pessoal, e também seu impacto juntos.

A liberdade da singularidade individual permite escolha. Sem escolha e preferência pessoal, o cônjuge pode se sentir sufocado ou usado, ou até mesmo totalmente perdido. Certa mulher que aconselhei me contou que um dia foi à biblioteca com o marido e os filhos, e cada um resolveu escolher um livro. Eles decidiram se separar, cada um pegar seu livro e então se reunir de novo para retirá-los. As crianças saíram correndo para a seção infantil e o marido correu para sua área de interesse, mas ela ficou ali, paralisada. Por anos, suas escolhas tinham sido ditadas pelas necessidades do marido ou dos filhos. Suas preferências haviam sido moldadas pelo que ela poderia fazer para agradar a família ou se tornar o que necessitavam que ela fosse em cada momento. No saguão da enorme biblioteca, com milhares de assuntos para escolher, ela não sabia qual livro lhe interessava para lazer próprio.

O filme *Noiva em fuga*,[1] lançado em 1999, apresenta mais um exemplo de perda da individualidade nesse ato de se misturar a outro alguém. A personagem principal, Maggie, interpretada por Julia Roberts, tinha o hábito de sair correndo sempre que caminhava até o altar para se casar. Ninguém conseguia entender o motivo, nem ela própria. Só mais tarde no filme ela se deu conta de que não queria se casar porque, ao fazê-lo, acabaria perdendo sua individualidade. No namoro com cada um de seus possíveis maridos, ela assumia os gostos, desgostos, passatempos e até mesmo comidas preferidas deles.

Quando duas pessoas fortes e seguras se unem debaixo da autoridade do Senhor, usando dons, mente e espírito de acordo com o plano divino, ocorrerá um impacto maior para o reino.

Em dado momento, um amigo de Maggie pergunta qual era sua forma preferida de comer ovos. Foi uma pergunta profunda, porque ela realmente não sabia responder. Próximo ao fim do filme, em uma cena inesquecível, Maggie prepara os ovos de várias maneiras para ver de quais *ela* mais gostava.

Seu jeito preferido de comer ovo pode não ser o maior desafio em seu casamento, mas preservar o espaço, as preferências e a identidade pessoal talvez seja. É possível que você nem mesmo se dê conta disso. Quando uma parte tão grande da vida converge com a de outro ser humano, é fácil perder de vista quem você é e deixar sua vela se apagar. Mas o maior presente que você pode dar para a união do casal é preservar sua singularidade individual. Pois, quando duas pessoas fortes e seguras se unem debaixo da autoridade do Senhor, usando dons, mente e espírito de acordo com o plano divino, ocorrerá um impacto maior para o reino.

A obra do Espírito

Nunca deixe a unidade se transformar em mesmice. Preserve sua identidade e, ao mesmo tempo, cuide para não haver divisões. Há uma ilustração que gosto muito de usar e diz respeito à maionese. Um dos desafios de fazer maionese é conseguir unir óleo e vinagre. Óleo e líquidos não se misturam, mas ambos são ingredientes necessários na maionese. Por isso, os fabricantes de maionese precisam acrescentar um emulsificante.

O emulsificante ajuda ingredientes que se opõem um ao outro a conviver, a se misturar. Assim, um ingrediente necessário na maionese é o emulsificante: ovos. Os ovos dizem: "Óleo, quero você bem aqui convivendo comigo; e vinagre, também quero você do meu lado". Quando os ovos se misturam ao vinagre e ao óleo, os dois últimos começam a conviver. Não porque vinagre e óleo gostem um do outro, mas porque ambos concordam acerca dos ovos, e em consequência disso cria-se algo maior que as partes individuais: a maionese.

O Espírito Santo é o emulsificante de todo casamento. Quando existe conflito entre maridos e esposas cristãos, uma parte ou ambas estão ignorando a obra emulsificante do Espírito Santo. Em decorrência disso, não conseguem mais apontar para a obra partilhada do Espírito em sua vida, a despeito das diferenças de gosto ou opinião que possam existir.

Paulo enfatizou essa verdade ao dizer aos cristãos de Éfeso que a unidade relacional que caracteriza a união é "mantida", não criada. São instruídos a "se manterem unidos no Espírito, ligados pelo vínculo da paz" (Ef 4.3). No que diz respeito ao casamento, Deus não nos convida a criar qualquer coisa, mas a preservar o que ele já criou. Entramos em um relacionamento com ele por meio de seu Espírito, e em consequência disso ele já está presente, atuando em meio ao nosso casamento.

O desafio de Paulo para nos mantermos "unidos no Espírito" é complementado pela observação de que essa unidade do Espírito existe no "vínculo da paz" (4.3). O conceito de paz expresso por Paulo aqui é bem mais amplo do que nossa definição moderna de ausência de conflitos ou de sentimento de harmonia. É provável que Paulo estivesse apontando para o conceito hebraico de *shalom*, definido como "plenitude, saúde e bem-estar". *Shalom* é mais que paz entre duas partes, pois indica a saúde geral e o equilíbrio de um organismo. Portanto, no que se refere à preservação da unidade do Espírito, o resultado é um casamento saudável e equilibrado, no qual se vive e experimenta plenamente uma existência abundante.

> *Um casamento saudável é um relacionamento unido, em que a presença e atuação do Espírito de Deus transcendem nossas diferenças individuais.*

Um casamento saudável é um relacionamento unido, em que a presença e atuação do Espírito de Deus transcendem nossas diferenças individuais. Satanás tenta atrapalhar a unidade nos casamentos a fim de provocar desordem, que leva ao caos.

Para combater isso, vejamos como usar esse medidor do espírito de união a fim de interpretar nosso contexto de ministério e movê-lo para o saudável elo de *shalom*, ou paz.

Leitura do medidor

A principal tarefa que devemos fazer com o intuito de alcançar a união no casamento é a obra de preservação, ou, usando uma terminologia mais moderna, o trabalho de conservação. O trabalho de conservação se encarrega de proteger o ambiente das ameaças que podem causar dano ao *habitat* natural. Para que isso ocorra bem, precisamos ativar nosso sistema de monitoramento espiritual a fim de ter uma boa leitura de nossa atmosfera conjugal. Como ler esse medidor da união no Espírito?

Em Efésios 4.2, Paulo citou os indicadores primários dessa união: humildade, gentileza, paciência e tolerância em amor. Se você quer ver o quanto está cultivando um espírito de união em seu casamento, analise como essas quatro virtudes vêm funcionando em seu relacionamento conjugal. Eis algumas perguntas diagnósticas essenciais a se fazer:

1. Humildade
- Você está disposto, em nome da união, a sujeitar ao propósito divino em seu casamento todos os seus desejos, por melhores que eles sejam?
- Você está disposto a servir seu cônjuge, buscando os interesses dele acima dos seus (Fp 2.3-4)?

2. Gentileza
- Você gosta de discutir com o cônjuge?
- Você reage com raiva quando seus planos são contestados?
- Qual é sua primeira reação espontânea quando seu cônjuge o ofende?

3. Paciência

- Você está disposto a esperar que Deus aja por intermédio do Espírito na vida de seu cônjuge?
- Você fica impaciente com a demora de seu cônjuge para mudar de vida?
- Você consegue esperar no Espírito e no discernimento de seu cônjuge antes de fazer uma mudança ou iniciar a busca por um novo interesse?

4. Tolerância em amor

- Você insiste para que as coisas sejam feitas do seu jeito?
- Você consegue dar permissão para a diversidade de maneiras e de recursos com os quais o Espírito opera por meio de outras pessoas?
- Você reage bem quando as preferências de seu cônjuge entram em conflito com as suas?

Eu gostaria de propor que cada um desses indicadores aponta para uma ameaça primária à unidade. (Existem, é claro, outras ameaças à unidade de um casamento, mas muitas delas podem remontar a essa inicial.) A presença dessa ameaça deve fazer soar o alarme de que a união do Espírito está sofrendo ataque, e em consequência disso seu sistema de monitoramento do casamento deve ativar algumas práticas de preservação/conservação que contra-ataquem a ameaça.

Qual seria essa ameaça fundamental à unidade do Espírito? A tendência de elevar nossas prioridades pessoais acima do plano do Espírito para nosso casamento. Cada um dos quatro indicativos da lista anterior reflete uma vida disposta a se submeter à realidade da atuação divina por intermédio de seu Espírito. Como indivíduos e também como casal, trabalhamos juntos para possuir a humildade, a gentileza, a paciência e o amor necessários para sujeitar nossa vontade e agenda ao plano divino?

Conforme observei antes, Paulo estava expressando uma ideia importante quando ligou a união à presença do Espírito em nosso casamento. A implicação aqui é que, se você não é espiritual ou se não possui a orientação do Espírito, acabará tendo um problema de conservação da união em seu casamento. Isso acontece porque seu ponto de referência será a carne, não o Espírito de Deus. A carne é sua compreensão humana, ao passo que o Espírito representa o ponto de vista divino. O conflito que existe em nosso casamento e ameaça a unidade é, de fato, uma batalha entre a carne e o Espírito. É por isso que Gálatas 5.16 nos diz: "Deixem que o Espírito guie sua vida. Assim, não satisfarão os anseios de sua natureza humana". Em outras palavras, quando falta união no casamento, é porque o controle do Espírito não está sendo preservado. A perspectiva do Espírito foi removida, levando a divisão, desarmonia e caos.

Qual seria essa ameaça fundamental à unidade do Espírito? A tendência de elevar nossas prioridades pessoais acima do plano do Espírito para nosso casamento.

Permita-me dizer mais uma vez: conflitos não resolvidos em andamento significam que o Espírito de Deus não recebeu permissão para se sobrepor às diferenças humanas e carnais que causam caos e que agora estão sustentando esse conflito. Deus é deixado de fora da equação. Somos instruídos a preservar a unidade do Espírito porque, caso tenha espaço, o Espírito de Deus dominará todas as coisas humanas que provocam e alimentam os conflitos que vivenciamos no casamento.

Tiago 4.1-2 explica da seguinte maneira:

De onde vêm as discussões e brigas em seu meio? Acaso não procedem dos prazeres que guerreiam dentro de vocês? Querem o que não têm, e até matam para consegui-lo. Invejam o que outros possuem, lutam e fazem guerra para tomar deles.

Brigas, conflitos, inveja e assassinato, conforme descreveu Tiago, são meros sintomas do problema canceroso mais profundo de agendas humanas e carnais que, muitas vezes, permitimos que se espalhem e acabem usurpando o plano de Deus e sua presença em nosso casamento.

Você sabe o que é câncer? Podemos descrevê-lo como um grupo de células no corpo humano que não desejam mais permanecer unidas e criam sua visão independente e seu próprio programa. Essas células radicais se multiplicam porque a agenda das células cancerosas consiste em tomar conta do corpo inteiro. Isso acontece com frequência no casamento. A agenda carnal, caso não seja controlada, se espalha e usurpa a união "no Espírito", no "vínculo da paz".

Medidor calibrado de novo

O que fazer quando o medidor de nosso sistema de monitoramento espiritual indica que a unidade do Espírito está em risco em nosso casamento? O desafio de preservar a unidade do Espírito é que somos pessoas quebradas e caídas, vivendo em um mundo quebrado e caído, no qual nos casamos com outra pessoa quebrada e caída. A fim de calibrar de novo nosso medidor de união, precisamos adotar três práticas que promovam e preservem o espírito de união: divulgação da história, discernimento e pacificação.

1. *Divulgação da história.* Uma atitude crucial que você pode tomar para incentivar a união em seu casamento é destacar e celebrar a história da atuação divina por meio do Espírito na vida de vocês dois. A melhor maneira de fazer isso é estipular momentos e um ambiente propício para que a comunicação aberta prospere. Quando ambos começam a fazer isso e a enxergar a obra de Deus na vida de cada um, a fonte da unidade se torna clara: vocês se uniram por causa do Espírito Santo em atuação na vida de cada um, transformando corações marcados pelo pecado na imagem de Jesus Cristo. Cresce também a empatia pelos desafios e pelas lutas que cada um enfrenta à medida que toma conhecimento das lutas do outro.

> *O desafio de preservar a unidade do Espírito é que somos pessoas quebradas e caídas, vivendo em um mundo quebrado e caído, no qual nos casamos com outra pessoa quebrada e caída.*

2. *Discernimento.* A prática do discernimento espiritual dentro do casamento é uma habilidade crucial para a preservação da unidade no elo da paz. Discernimento espiritual significa tomar decisões guiadas pelo Espírito Santo. Trata-se de uma prática consensual orientada pela voz do Espírito, que se torna o voto decisivo de cada escolha.

Um exemplo-chave dessa prática aparece em Atos 15, no concílio de Jerusalém. A prática do discernimento guiado pelo Espírito é exibida aqui em um momento crítico da decisão acerca da relação entre judeus e gentios (o mesmo problema discutido em Efésios). A igreja ouviu o testemunho dos principais líderes, ponderou os ensinamentos das Escrituras e aguardou a orientação do Espírito, até chegar a uma decisão que "pareceu bem ao Espírito Santo e a nós" (At 15.28).

Quando os parceiros dentro do relacionamento conjugal praticam o discernimento por meio da compreensão da voz do Espírito, filtrada pela Palavra de Deus e aplicada por meio de conselhos espirituais, é possível tomar decisões que preservam a unidade. Quando as escolhas são feitas sem discernimento, com base nas preferências individuais, no orgulho e no egoísmo, o resultado é um espírito de desunião.

3. *Pacificação.* Assim que se casam, os casais costumam passar por um período de lua de mel, com poucos conflitos, durante o qual os cônjuges se veem no processo de descobrir os papéis que desempenharão dentro do casamento. Contudo, não demora muito para que apareçam conflitos e expectativas frustradas. O conflito faz parte de todos os relacionamentos existentes neste mundo caído, e cada um de nós contribui com ele por meio de nosso eu pecaminoso e despedaçado. A preservação da união no casamento requer a habilidade de ser pacificador (Mt 5.9), com a convicção de buscar o domínio do reino de Deus em cada conflito.

Para ser pacificadores, precisamos entender o que é pacificar e, com o poder do Espírito, aplicar tais práticas a nosso casamento. O melhor recurso que conheço para nos ajudar nesse processo é o livro *O pacificador*, de Ken Sande, no qual ele detalha quatro práticas básicas de pacificação:

1. *Glorificar a Deus* (1Co 10.31), isto é, ter como prioridade máxima agradar e honrar a Deus em meio aos conflitos.
2. *Tirar o tronco do olho* (Mt 7.5), isto é, assumir responsabilidade pelas próprias contribuições ao conflito.

3. *Restaurar com gentileza* (Gl 6.1), isto é, servir a outra parte (ou partes) em amor ajuda os outros a assumirem responsabilidade por sua parcela de contribuição com o conflito.
4. *Reconciliar-se* (Mt 5.24), isto é, demonstrar o perdão e a reconciliação de Deus, encontrando uma solução razoável para o conflito.[2]

Quando iniciei este capítulo, observei que a união das primeiras colônias americanas desempenhou papel importante na derrota do inimigo em comum à época, a Grã-Bretanha. Apesar de suas muitas diferenças, eles se uniram sob o lema *E pluribus unum*, "de muitos, um". Depois que a guerra terminou e a Grã-Bretanha foi derrotada, o objetivo das colônias tornou-se então manter e preservar a unidade que fora criada durante a Revolução. Desse esforço surgiu a Constituição, que estipulou um programa de governo que equilibrasse os interesses divergentes com o propósito comum de dar origem a uma nova nação, os Estados Unidos da América, preservando sua unidade. A Constituição começa com a célebre frase: "Nós, o povo dos Estados Unidos, a fim de formar uma união mais perfeita [...], promulgamos e estabelecemos esta Constituição para os Estados Unidos da América".

O sucesso de sua missão de glorificar a Deus e torná-lo conhecido está ligado à união de seu casamento.

Nosso casamento é formado por uma união ainda mais perfeita, a união do Espírito no vínculo da paz. Temos a missão e o chamado de preservar essa unidade como testemunhas para o mundo ao nosso redor. Conforme você deve se lembrar, essa é a bênção final pela qual Jesus orou para seus discípulos e para os que viriam depois deles, incluindo nós, que seguimos no casamento o exemplo dele: "Minha oração é que todos eles sejam um, como nós somos um, como tu estás em mim, Pai, e eu estou em ti. Que eles estejam em nós, para que o mundo creia que tu me enviaste" (Jo 17.21).

Isso significa que o sucesso de sua missão de glorificar a Deus e torná-lo conhecido está ligado à união de seu casamento. Você quer que o mundo enxergue seu casamento como um auxílio ou como um impedimento para encontrar o Cristo que nos ama e nele crer?

PARTE II

A função de um casamento do reino

6
Papéis

Como é um dia útil típico na sua semana? Muitos de nós já levantam com o tempo contado para se arrumar para o trabalho, acordar as crianças, dar comida para elas e organizá-las para ir à escola. Então, entramos no carro para o longo trajeto e chegamos ao trabalho a fim de ter um dia ocupado com prazos a cumprir e reuniões para participar. Aí dirigimos de volta para casa, jantamos rapidamente ou saímos para comer, fazemos as tarefas da escola com as crianças e as colocamos para dormir. Por fim, nos preparamos para o dia seguinte e desabamos na cama.

Com uma agenda tão apertada, cumprir o papel de marido ou mulher pode parecer apenas mais uma tarefa, junto com as outras ocupações cotidianas. No entanto, quando escolhemos viver de acordo com a agenda do reino de Deus, o casamento deve estar no topo das prioridades dessa agenda.

Conforme discutimos antes, a família é a instituição fundamental da sociedade, por isso é crucial entender o papel do marido e da esposa de acordo com a perspectiva divina. Mas, em uma cultura repleta de corações e lares partidos, é difícil para homens e mulheres encontrarem modelos de casamento e família que condigam com a vontade de Deus. É por isso que neste capítulo eu quero me concentrar no papel do marido e da esposa, usando a Bíblia para apresentar maneiras práticas de cada um cumprir sua função individual do reino no casamento.

Para começar, revisemos a definição de homem e mulher do reino. O *homem do reino* é "aquele que se coloca debaixo do domínio divino e vive em submissão ao senhorio de Jesus Cristo". A *mulher do reino* é "aquela que se posiciona debaixo do domínio de Deus e age de acordo com ele em todas as áreas de sua vida".

O papel do marido do reino

Começarei com os maridos, uma vez que Deus começou com eles ao criar Adão e atribuir a ele a responsabilidade final pela situação do lar. Quando Adão e Eva desobedeceram, Deus foi atrás de Adão, não de Eva, pois ele era o responsável. Maridos, gostaria de mostrar quatro princípios fundamentais que, quando aplicados, deixarão sua esposa simplesmente deslumbrada com o casamento.

> O homem do reino é *"aquele que se coloca debaixo do domínio divino e vive em submissão ao senhorio de Jesus Cristo".*

Amar

O primeiro papel de um marido é amar a esposa. É fácil tornar-se indiferente a isso em um mundo que usa a palavra *amor* para descrever os passatempos preferidos de alguém ("Eu amo futebol") ou suas comidas favoritas ("Amo frango frito"). Mas o tipo de amor estipulado pela Bíblia para o marido em relação à esposa segue o modelo do amor de Cristo por sua igreja.

Efésios 5.25 diz que o homem deve amar a esposa "como Cristo amou a igreja. Ele entregou a vida por ela". Como então o marido pode expressar seu amor pela esposa, baseado no amor de Cristo por sua igreja?

Antes de mais nada, Cristo entregou sua vida a fim de libertar a igreja do pecado e da morte, salvando-a para um relacionamento com ele. Em outras palavras, o Salvador e Libertador da igreja demonstrou um amor sacrificial de autodoação, visando as necessidades de sua noiva, a igreja. A finalidade primeira do marido no casamento não deve ser a satisfação de suas próprias necessidades. Em vez disso, deve, em primeiro lugar, buscar atender aos interesses e às necessidades da esposa. O amor do marido deve se caracterizar pelo sacrifício em prol do bem de sua esposa.

Em Filipenses 2.3-11, Paulo se aprofundou nesse conceito de como deve ser o amor de Cristo. Em particular, uma característica que o apóstolo identificou como crucial é a humildade, isto é, considerar "os outros mais importantes que vocês" (v. 3). Se em seu papel de marido você percebe que o orgulho ou o egoísmo é uma barreira para uma entrega sacrificial por sua esposa, então você não está amando como Cristo amou. O verdadeiro amor bíblico coloca as necessidades do cônjuge acima das próprias.

> *A mulher do reino é "aquela que se posiciona debaixo do domínio de Deus e age de acordo com ele em todas as áreas de sua vida".*

O amor sacrificial de Cristo em prol da igreja também estava ligado a um propósito específico. De acordo com Efésios 5.26-27, Cristo amou a igreja "a fim de torná-la santa, purificando-a ao lavá-la com água por meio da palavra. Assim o fez para apresentá-la a si mesmo como igreja gloriosa, sem mancha, ruga ou qualquer outro defeito, mas santa e sem culpa".

Na Bíblia, o processo de santificação significa "separado para uso especial". No Antigo Testamento, era o processo pelo qual os objetos eram limpos e purificados a fim de ser usados no templo. O propósito do amor de Cristo era limpar e purificar sua noiva, a igreja. De igual modo, o marido deve se preocupar intimamente com o crescimento e desenvolvimento pessoal da esposa.

Em minha experiência como pastor, tenho visto com muita frequência o oposto disso. Em muitos casamentos, é a esposa, não o marido, que cresce espiritualmente e se preocupa com o crescimento do cônjuge. O homem do reino é zeloso em tomar a iniciativa na área de intimidade espiritual com o Senhor, a fim de que, mesmo que a esposa seja uma seguidora próxima de Jesus Cristo, ele ainda tenha algo mais para encorajá-la a crescer. Pense no poder de uma união como essa!

Assim como o marido alimenta o próprio corpo e cuida dele a fim de satisfazer suas necessidades, ele também deve procurar satisfazer as necessidades da esposa.

Além disso, Efésios 5.28-29 diz:

> Da mesma forma, os maridos devem amar cada um a sua esposa, como amam o próprio corpo, pois o homem que ama sua esposa na verdade ama a si mesmo. Ninguém odeia o próprio corpo, mas o alimenta e cuida dele, como Cristo cuida da igreja.

Assim como o marido alimenta o próprio corpo e cuida dele a fim de satisfazer suas necessidades, ele também deve procurar satisfazer as necessidades da esposa. Ele a alimenta e cuida dela para que, dez, vinte ou trinta anos depois, a esposa possa dizer com confiança: "Estou satisfeita com minha vida, meu propósito e meu casamento".

Mas a verdade é que a maioria dos homens não quer saber de cruz e sacrifício. Em vez disso, queremos saber como usar a coroa de rei do castelo. Sim, Jesus usou uma coroa terrena antes de colocar a coroa celestial, mas foi uma coroa de espinhos. Marido, você não ganhará a coroa de glória sem usar a coroa da cruz.

Portanto, embora a maioria dos homens goste das coisas boas que vêm com o amor, a primeira coisa que Deus quer saber de você como marido é: quando sua esposa olha para você, ela vê uma cruz? Ao viver com ela, você demonstra verticalmente o amor de Deus sendo uma representação horizontal de Jesus?

Nós, homens, temos a grande facilidade de dizer as coisas certas. Podemos parecer impressionantes para nossa esposa quando queremos, falando sobre como estaremos ao lado dela para protegê-la e até morrer por ela se necessário for.

Mas não somos malucos. Sabemos que a chance de que isso aconteça é bem remota. Pessoalmente, não consigo me lembrar de nenhum homem que eu conheça que tenha morrido ou sofrido ferimentos por defender a esposa de um intruso louco, e provavelmente você também não conhece ninguém assim. Isso não vai acontecer com a maioria de nós, nem com alguém do nosso círculo. Por isso, é bem garantido afirmar que estamos dispostos a fazer o maior dos sacrifícios pela esposa.

Para a maioria de nós, porém, a coisa muda bastante de figura no que diz respeito aos sacrifícios diários da vida de casado: sujeitar desejos, planos, opiniões e preferências pela esposa, ou abrir mão deles por ela. Quando Deus chama o marido a se entregar pela esposa, não está falando apenas em se mostrar disposto a morrer. Fazer sacrifícios pela mulher e amá-la envolve estar disposto a pregar na cruz desejos e planos pessoais a fim de atender às necessidades dela.

E isso nos traz para a área na qual falhamos com tanta frequência como maridos: o egoísmo. É difícil para a maioria dos homens abrir mão das próprias vontades pela esposa. No entanto, o marido deve deixar seu amor visível e tangível, para que a esposa possa sentir o quanto ele a valoriza.

Qualquer um que me conhece sabe que sou um macho de primeira. Adoro ser homem. Toda a ideia e realidade da masculinidade me empolga. (É só ler meu livro *Homem do reino*!) Mas toda vez que minha esposa me entrega a "sacola de pertences pessoais" dela para eu segurar enquanto está fazendo compras (eu chamo de sacola, homens — isso ajuda), eu seguro. Sim, eu sou esse cara: aquele que anda carregando a bolsa dela. Se eu gosto de fazer isso? Não. Isso me faz parecer machão? Não, pelo menos não de acordo com a definição do mundo. Eu amo minha esposa? Sim. E essa é uma pequena maneira de demonstrar de forma visível esse amor por ela.

A pergunta acerca do sacrifício de um marido é bem simples: se eu entregar para sua esposa uma folha de papel e pedir que ela faça uma lista das coisas de que você precisou abrir mão por causa dos desejos, necessidades e preferências dela, que tamanho essa lista teria?

Se eu lhe perguntasse como você já mudou sua agenda ou suas atividades para que ela pudesse fazer algo de que gosta ou precisa, ela teria algo para me dizer? Se a resposta for não, então essa é a primeira área na qual você necessita começar a mudar em seu casamento.

Eu trabalho muito, e gosto disso. Além de pastorear uma igreja há mais de quarenta anos, também temos um ministério nacional e faço palestras com frequência. Contudo, sempre abro espaço em minha semana para minha esposa, e, homens, vocês devem fazer o mesmo. Um dia de cada semana é dedicado a ela. Coloco o celular de lado (durante a maior parte do dia), pego a lista de afazeres que ela me passou, desfrutamos uma refeição juntos, conversarmos, fazemos compras... o que quer que seja. Hoje em dia, muitos homens sacrificam o relacionamento com a esposa por causa da carreira ou de *hobbies*, mas isso não é cumprir seu papel no casamento.

Leitor, eu o incentivo a começar a entender intencionalmente sua esposa e aquilo de que ela necessita de você, mas não tem recebido. Então, tente atender ao maior número possível dessas necessidades. Se já se criou uma barreira tão grande na comunicação em seu casamento que você nem sabe quais são os desejos ou necessidades de sua esposa, e se ela for tímida demais para dizer qualquer coisa, você precisará ser direto e perguntar. Talvez você se surpreenda com o que ela disser. Mas você só ficará sabendo se perguntar. É possível que você esteja trabalhando em uma área achando que irá satisfazer sua esposa, mas esteja errando completamente o alvo.

Hoje em dia, muitos homens sacrificam o relacionamento com a esposa por causa da carreira ou de hobbies, *mas isso não é cumprir seu papel no casamento.*

Recentemente, um amigo meu perguntou à esposa qual seria a primeira coisa que ele poderia fazer para melhorar o relacionamento entre eles. Ele presumiu que ela diria algo como "passar mais tempo com os filhos" ou "crescer mais espiritualmente". Mas sabe o que ela disse? "Parar de roer as unhas."

Meu amigo riu ao contar que, ao longo de todo o casamento, ele teve o hábito de roer as unhas. Ao que tudo indicava, isso de fato incomodava a esposa, mas ela raramente dizia alguma coisa. Ciente de que era isso que ela mais queria dele, reuniu não só a capacidade, mas também o desejo de abandonar o mau hábito. Então, vá em frente e pergunte. Você não precisará mais ficar adivinhando para amá-la da melhor maneira.

A lição é que seu amor precisa ser tanto visível quanto verbal.

Conheça sua esposa, honre-a e ore com ela

Os outros três papéis que os maridos devem exercer no casamento são: conhecer a esposa, honrá-la e orar com ela. Viver com sua mulher significa conviver em íntima harmonia com ela, fazendo de seu lar um lugar de intimidade e apoio mútuo. Muitos maridos abordam a vida familiar pressupondo que o lar e as responsabilidades atreladas a ele são tarefa principalmente da esposa. Entretanto, a fim de que o marido viva com a esposa de maneira compreensiva (1Pe 3.7), ele deve ver o lar como o principal lugar para exercer a ordem que Cristo nos deu de amarmos de forma abnegada e sacrificial. O esposo precisa se comprometer com o lar como um lugar de vocação e chamado, além do ambiente de trabalho. Sempre que aquilo que você faz por sua esposa fora de casa (como na carreira profissional) diminui drasticamente sua presença ao lado dela, então não está vivendo com sua mulher da maneira que 1Pedro 3.7 descreve.

Viver com a esposa de maneira compreensiva também significa que o marido tem a responsabilidade de conhecer intimamente a esposa. Isso quer dizer que ele deve se comprometer a gastar o tempo necessário para conhecê-la e fazer os ajustes necessários na agenda a fim de abrir espaço para isso.

Outro papel do marido é honrar a esposa como igual "participante da dádiva de nova vida" (v. 7). Honrar a esposa corresponde a colocá-la em uma posição de importância e tratá-la como uma pessoa única. Seja por meio de palavras gentis, presentes especiais ou bilhetes dizendo o quanto a ama, você tem a responsabilidade de fazer com que sua esposa saiba como ela é especial.

O verdadeiro compromisso de honrar a esposa é mais que homenageá-la em datas especiais (aniversário, aniversário de casamento, Dia dos Namorados); significa comunicar-lhe constantemente o valor que você atribui a seu relacionamento. Assim como as misericórdias do Senhor se renovam a cada manhã (Lm 3.22-23), nós, líderes do reino, devemos estender essa mesma estabilidade à esposa.

A ordem para o marido honrar a esposa está ligada ao reconhecimento de que ela é "igualmente participante da dádiva de nova vida". Embora a esposa seja chamada para ser submissa ao marido, isso diz respeito à função, não a uma declaração de sua desigualdade como pessoa. Assim como o homem, a mulher foi criada à imagem de Deus e, aos olhos do Senhor, é igualmente digna de honra na esfera espiritual. Você trata e considera sua esposa igual a você? Uma maneira de saber disso é se você pede conselho a ela quando precisa tomar uma decisão. Outro jeito de saber é se você busca a companhia dela quando tem tempo livre ou de lazer.

Por fim, o marido deve orar com a esposa. No âmago da ordem para o marido viver com a esposa de maneira compreensiva (conhecendo-a) e honrá-la, encontramos a advertência:

"para que nada atrapalhe suas orações" (1Pe 3.7). Uma vez que a esposa é "igualmente participante da dádiva de nova vida", Deus não fará coisa alguma pelo marido, a menos que a esposa seja incluída. O Senhor entende que a aliança do casamento representa um relacionamento do tipo "uma só carne"; por isso, a esposa se encontra agora incluída em qualquer interação de Deus com o marido. Logo, o marido deve se comprometer a orar com a esposa, para que juntos eles possam colher os benefícios espirituais do plano do reino de Deus.

Maridos, ao exercer o papel de líder, vocês são o termostato espiritual do casamento e da família, definindo a temperatura espiritual do lar. Contudo, a esposa é o termômetro, indicando a sensação térmica real dentro de casa. Para saber se o homem está seguindo a agenda do reino de Deus para seu lar, o melhor lugar onde procurar a resposta é em sua esposa. Ela se sente amada, reconhecida, honrada e espiritualmente encorajada no relacionamento com o marido? Se a resposta é não, então o marido precisa inspecionar seu termostato, procurar os danos e reinvestir tempo e recursos a fim de cumprir seu papel de homem e marido do reino. Maridos, se vocês querem uma esposa de verão, não tragam para dentro de casa o clima de inverno.

Uma vez que a esposa é "igualmente participante da dádiva de nova vida", Deus não fará coisa alguma pelo marido, a menos que a esposa seja incluída.

O papel da mulher do reino

Mergulhemos agora nessa importante parte. Porque, com grande frequência, a religião, a cultura e outros aspectos de nossa sociedade diminuem o papel da mulher, e isso para prejuízo de todos. Você, esposa, é uma peça crucial no quebra-cabeças do avanço do reino de Deus na terra.

Há não muito tempo, eu estava navegando na internet e deparei com uma reportagem de capa da revista *Christianity Today* intitulada "50 mulheres que você deveria conhecer". Devo admitir que meus olhos foram atraídos para o artigo porque minha filha Priscilla foi citada como uma das cinquenta mulheres, e ela é uma verdadeira força para o reino de Deus. Mas o que me chamou atenção à medida que comecei a ler foi o subtítulo do artigo, que dizia: "Perguntamos a líderes importantes que mulheres cristãs estão moldando profundamente a igreja evangélica e a sociedade norte-americana. Estas foram as escolhidas".[1]

Essa declaração me fez parar e pensar, sobretudo porque, embora todas essas cinquenta mulheres sem dúvida exerçam impacto profundo sobre a igreja e nossa cultura por meio dos diversos ministérios que desempenham ou de sua influência política, existem incontáveis mulheres desconhecidas que podem ter causado ou estar prestes a causar influência ainda maior. Elas o fazem por meio dos filhos que criam para se tornar influenciadores, líderes, administradores, escritores e cantores espirituais, e assim por diante. Essas mulheres também o fazem por meio dos homens a quem apoiam em seu papel de esposa.

Por trás de todo homem do reino existe uma mulher do reino, e posso lhe garantir que os homens influentes que estivessem em qualquer lista de "50 homens que você deveria conhecer" talvez não estivessem lá não fosse pela esposa, que acreditou neles desde o princípio, sacrificou-se pelo bem deles e os amou por meio de seu aprendizado conjunto, formulando estratégias com eles tarde da noite ou em conversas cedo de manhã enquanto tomavam café.

A força poderosa de uma mulher do reino é imensurável.

Muitos homens já se propuseram fazer grandes coisas, bem maiores do que jamais sonharam, simplesmente porque tiveram uma esposa que acreditava neles e os incentivava a prosseguir. Tiveram uma esposa que os afastou do que era uma mera distração, rumo ao que era mais proveitoso para Deus e seu reino. Tiveram uma esposa que passou tempo no silêncio de um quarto escondido, orando pelo marido quando parecia que ele não estava no caminho certo para fazer muita diferença.

Concordo em aplaudir as mulheres de influência como fez a revista *Christianity Today*, mas não acho que as listas conseguem captar por completo ou refletir todas as mulheres de maior influência em nossa nação hoje. Então, mulheres, cheguem mais perto, pois o que tenho a dizer agora pode ser bem diferente do que vocês já escutaram sobre o papel de esposa. Quando Deus criou Eva para Adão (a mulher para se conectar com o homem), ele o fez com um propósito específico, e esse propósito é bem mais significativo do que a maioria de nós reconhece.

> *Muitos homens já se propuseram fazer grandes coisas, bem maiores do que jamais sonharam, simplesmente porque tiveram uma esposa que acreditava neles e os incentivava a prosseguir.*

Boa parte da confusão que vivenciamos no casamento hoje advém dessa visão incorreta de tal propósito. Quando lemos que Deus disse que não era bom para Adão permanecer só, presumimos que ele criou Eva para lhe fazer companhia. Mas se Deus tivesse criado Eva para companheirismo, então Adão provavelmente teria dito que não gostava de ficar sozinho. No entanto, foi Deus quem disse isso, não Adão. Esse é um aspecto importante que costumamos negligenciar, portanto assimilemos esse conceito. Além disso, as palavras hebraicas usadas para descrever a mulher como "auxiliadora" não se referem a alguém que alivia a solidão. Dizem respeito a alguém que provê ajuda viável e visível.

Há apenas um motivo para Deus dizer: "Não é bom que o homem esteja sozinho. Farei alguém que o ajude e o complete" (Gn 2.18). E essa razão é que Adão claramente necessitava de ajuda.

Não estou negando a importância do companheirismo, da amizade e do relacionamento no casamento. Mas, com base na lei histórica da primeira menção relativa a casamento na Bíblia, o companheirismo para Adão não era a principal preocupação de Deus quando fez a mulher. O objetivo era conferir poder a Adão para exercer o domínio em nome de Deus em um nível ainda maior do que Adão conseguiria sozinho.

As palavras hebraicas traduzidas por "alguém que o ajude e o complete" em Gênesis 2.18 são termos surpreendentemente poderosos, *ezer*[2] e *kenegdo*.[3] *Ezer* aparece 21 vezes no Antigo Testamento, e somente duas delas fazem referência a uma mulher. Nos outros casos, Deus fala sobre ele mesmo prover auxílio superior (p. ex., Dt 33.26; Sl 33.20; 70.5; 124.8).

A fim de separar essas ocorrências de *ezer* de todas as outras no Antigo Testamento, em referência a um auxílio mais forte dado por Deus, a palavra *kenegdo* foi acrescentada. *Kenegdo* significa, literalmente, "perante sua face, dentro de sua visão ou de seu propósito".[4] Alguns a traduzem por "para completar" ou "uma contraparte de".

Esposa, se você acha que seu papel é apenas preparar comida, limpar a casa, assoar nariz, levar os filhos para o futebol ou para a aula de dança, e assim por diante, perdeu de vista qual é seu papel. Os afazeres domésticos são necessários e a comida é importante, mas, dependendo de sua situação de vida, pode contratar alguém para fazer essas tarefas ou seu marido pode assumir parte dessas responsabilidades. Você, esposa, tem um chamado mais elevado: descobrir juntamente com seu cônjuge como Deus deseja que vocês dois usem da melhor maneira suas habilidades, seu talento, seu tempo e seu tesouro para promover o avanço do reino do Senhor neste mundo.

Eva foi criada para ser muito mais que uma empregada. Segundo a definição contextualizada de "alguém que o ajude e o complete", ela foi criada para ser uma "ajudante forte", na posição de "contraparte". A realização do destino do marido e da esposa é um esforço colaborativo, a fim de que ambos avancem bem tanto individual quanto conjuntamente.

Você, esposa, tem um chamado mais elevado: descobrir juntamente com seu cônjuge como Deus deseja que vocês dois usem da melhor maneira suas habilidades, seu talento, seu tempo e seu tesouro para promover o avanço do reino do Senhor neste mundo.

Minha esposa, Lois, e eu somos muito diferentes em temperamento e habilidades. Mas Deus tem usado grandemente a paixão dela pelos detalhes e seus dons na área da administração para ajudar a promover e desenvolver nossa igreja e nosso ministério nacional. Ela foi, e continua a ser, uma colaboradora essencial para o propósito do reino em nosso casamento, e esse propósito ultrapassa a felicidade pessoal.

Um texto bíblico por vezes negligenciado que apoia essa ideia se encontra em Provérbios: "Seu marido é respeitado na porta da cidade, onde se senta com as demais autoridades" (31.23). A "porta", nos tempos bíblicos, significava o lugar no qual os líderes da cidade se reuniam para discutir as notícias e os acontecimentos importantes. O marido dessa mulher não chegou ali sozinho. O fato de ter alcançado tamanha influência em sua cidade está ligado ao que eu já disse acerca das muitas mulheres que jamais entrarão na lista de "50 mulheres que você deveria conhecer" da *Christianity Today*, mas mereciam. Se você tiver esse perfil, minha amiga, não se desespere. Deus tem a lista dele, e as recompensas que reserva durarão muito mais que aplausos temporais e atenção recebida neste mundo.

É tolo qualquer homem que não veja a esposa como uma auxiliadora forte e contraparte, nem a procure para fazer uso de suas habilidades, discernimento, intelecto, capacitação e dons. É igualmente tolo qualquer homem que não incentive ativamente a esposa e apresente uma maneira de aperfeiçoar suas habilidades, intelecto e treinamento. Subestimar a esposa e seu papel é um dos erros mais graves que alguém pode cometer.

Infelizmente, alguns ensinos tradicionais sobre o papel dos homens e das mulheres dentro do lar pintam uma imagem que não reflete com precisão o conceito de *ezer kenegdo*. As normas e os ensinos culturais distorcem a visão de muitos homens e mulheres acerca da importância do papel feminino. Essa distorção é uma das principais causas para a falta de avanço do reino de Deus na terra. Isso não quer dizer que o único propósito da mulher é ajudar o marido, conforme demonstra com clareza o exemplo da esposa de Provérbios 31. Mas, no que diz respeito ao relacionamento entre o marido e a mulher, o auxílio dela é bem diferente do que a maioria de nós poderia imaginar.

Ah, não! Lá vem a palavra com "s"!

Você não achou que eu escreveria um livro sobre os papéis dentro do casamento sem falar sobre isso, achou? Em nossa sociedade atual, submissão é pior que qualquer xingamento. Reconheço isso. Ouço isso nas sessões de aconselhamento. Já vi destruição demais de casamentos porque essa palavra foi usada da maneira indevida. A maioria das mulheres preferiria morrer a viver amarrada ao carro da família, acorrentada ao fogão ou amigavelmente concordando com todas as decisões do marido (um equívoco comum do conceito de submissão). Esse não é, de maneira nenhuma, o retrato bíblico de submissão. A submissão se refere a uma ordem hierárquica que deve ser convocada somente quando necessária.

A melhor ilustração de submissão aconteceu não muito tempo atrás, quando fui convidado, juntamente com minha família, para assistir a uma exibição especial do filme *Quarto de guerra*, estrelado por minha filha Priscilla.[5] Como vocês devem saber, os irmãos Kendrick escreveram, produziram e dirigiram o filme. Esses dois homens fizeram um trabalho maravilhoso de apresentar princípios bíblicos em forma narrativa, para que todos possamos nos beneficiar da arte e ser discipulados por meio dela.

A submissão se refere a uma ordem hierárquica que deve ser convocada somente quando necessária.

Depois que o filme terminou, os irmãos Kendrick queriam receber nosso *feedback*, por isso tivemos um momento de reflexão e perguntas. Eu tinha uma dúvida. Indaguei:

— De quem é a palavra final se vocês discordarem acerca de determinada cena ou diálogo do filme? Quem decide?

Ambos sorriram, então um dos irmãos respondeu:

— Depende de quem é o dono da cena. Raramente discordamos a ponto de um de nós precisar passar por cima da vontade do outro, mas, dependendo do projeto ou da parte do projeto, escolhemos qual de nós será o líder. E quem estiver na liderança tem a palavra final.

Os dois deram risadas, brincaram e então passamos a falar mais sobre o filme. Percebi, pela alegria aberta ao debater aquilo, que a questão de "submissão" e "liderança", conforme chamaram, não era problema. Ambos confiavam no bom senso e na posição do outro.

Que ilustração maravilhosa para se aplicar ao casamento! Conforme disseram os irmãos, era raro chegarem ao ponto de um deles precisar ter a palavra final. Eles atuavam em um uníssono tão grande rumo à mesma visão e ao mesmo objetivo que na maioria das vezes chegavam a uma espécie de acordo. No entanto, se houvesse alguma pressão resultante da discordância, alguém tomava a decisão e o outro acatava. O outro se "submetia".

Jesus é o melhor exemplo de submissão que já existiu. Na maior parte do tempo, ele e Deus estavam no mesmo ritmo. Mas, quando não foi esse o caso e o Filho pediu ao Pai que tirasse dele o cálice de sofrimento e morte, Jesus acabou por se submeter à vontade de Deus (Mt 26.36-46). Jesus *escolheu* se colocar debaixo da autoridade do Pai, mesmo sendo ambos iguais, dotados de todas as características da divindade.

A palavra-chave no exemplo divino de submissão demonstrado por Jesus é *escolha*. Nada foi forçado. A submissão que precisa ser obrigada não é submissão. Tampouco a submissão da esposa ao marido é absoluta, uma vez que seu maior compromisso é com o Senhor.

Então por que a submissão é um conceito tão incompreendido e mal aplicado dentro do casamento? Muitas mulheres sentem falta de apreço e reconhecimento por suas contribuições para o lar, isto é, por sua *ezer kenegdo*. As coisas dão errado quando não entendemos direito o que é submissão. Por esse motivo, a submissão pode parecer uma rendição — ao *status quo*, à falta de reconhecimento ou valor ou até ao tédio e à falta de propósito, significado e paixão pela vida.

Mas a verdade é exatamente o contrário! Quando uma mulher aprende realmente a ser submissa e o faz da maneira bíblica, como ao Senhor, isso abre as portas para que Deus opere em seu favor na vida do marido.

A palavra submissão vem do termo grego *hupotasso*, que significa "disposição de se colocar voluntariamente sob a autoridade de outro". É isso que Cristo demonstrou na cruz. Analisamos essa ideia com mais detalhes no capítulo sobre ordem, mas vale repetir aqui que Deus chama os maridos a se posicionarem voluntariamente debaixo de Cristo (1Co 11.3) e as esposas a se posicionarem voluntariamente debaixo de Deus e do marido. Mais uma vez, a submissão não representa posição ou valor inferior. Quando o Senhor convida as esposas a serem submissas ao marido, pede que elas confiem em seu projeto para o casamento.

> *Quando uma mulher aprende realmente a ser submissa e o faz da maneira bíblica, como ao Senhor, isso abre as portas para que Deus opere em seu favor na vida do marido.*

A grande inversão satânica

Quando tentou Eva no jardim do Éden, Satanás queria inverter por completo a ordem do casamento. O inimigo se alegra quando as esposas assumem o papel de liderança sobre o marido. Mas, assim como Deus responsabilizou Adão por falhar em liderar Eva no jardim, ele também considera responsáveis os homens que abdicam de seu papel dentro da família. E, assim como Eva falhou ao ignorar a liderança de Adão enquanto ele permanecia ao lado dela na presença da serpente, Deus também responsabilizará as esposas por desconsiderarem a autoridade legítima do marido como cabeça.

Depois que Adão e Eva caíram na tentação de Satanás, uma maldição sobreveio a toda a criação. Deus disse a Eva que, por causa da desobediência, ela e todas as suas descendentes do sexo feminino desejariam assumir a liderança da família, mas os maridos sentiriam vontade de dominá-las (Gn 3.16). Graças a Deus, Cristo subverteu a maldição e concedeu a mulheres e esposas a graça de viver em harmonia, de acordo com seu projeto original.

> *Somente quando a mulher se mostra disposta a se render primeiro ao Senhor, ela poderá ser adequadamente submissa ao marido.*

É bem fácil para a esposa ser submissa ao marido se ele ama o Senhor e é obediente a ele. Mas e se não for esse o caso? Deus ainda requer submissão quando o marido não leva uma vida cristã? Uma pergunta melhor é: Deus ainda é capaz de liderar uma família quando o marido não está andando com ele? Sim. Deus é soberano e as esposas podem se render por completo a ele, confiando que ele não só atuará por meio de um marido desobediente, como também é capaz de transformar o coração do marido pela honra e pelo respeito que a esposa lhe demonstra.

Somente quando a mulher se mostra disposta a se render *primeiro* ao Senhor, ela poderá ser adequadamente submissa ao marido. E, quando Deus vê que a esposa confia nele o bastante para honrar o papel do marido, atuará de maneira maravilhosa e até mesmo milagrosa para abençoar e guiar sua família, assim como fez com Sara (1Pe 3.6).

7
Resoluções

Certa vez, um marido contou para o amigo seu segredo para fazer o casamento durar.
— Vamos a um bom restaurante uma vez por semana, apreciamos boa comida e música relaxante.
O amigo então respondeu:
— Uau! Realmente parece ótimo.
— É sim — concordou o homem. — Ela vai às terças e eu, às sextas.

Outro homem explicou que seu segredo para o casamento é que ele e a esposa jamais vão para a cama bravos um com outro. Parece um bom plano. No entanto, o resultado é que não dormem juntos há anos.

Embora o relacionamento conjugal seja um dos mais recompensadores que podemos desfrutar, pode também ser um dos mais desafiadores. Nenhum outro relacionamento exige um nível tão intenso e contínuo de troca mútua e partilha de recursos, emoções, comunicação, paciência, paixão e muito mais.

> *Embora o relacionamento conjugal seja um dos mais recompensadores que podemos desfrutar, pode também ser um dos mais desafiadores.*

Pelo próprio projeto que a criou, a parceria conjugal se propõe ser uma das iniciativas mais árduas, desafiadoras e até mesmo exaustivas da vida. Não é de espantar que tantos casais acabem divorciados e muitos dos que permanecem casados o façam por obrigação, não por vontade ou amor.

Todavia, o que eu gostaria de incentivar você a analisar neste capítulo é o valor do efeito santificador no casamento. Conforme Gary Thomas escreveu: "E se Deus tiver projetado o casamento para nos tornar santos mais do que felizes?".[1] Quando transformamos a busca e o serviço a Deus em nosso chamado mais elevado, conforme deve ser, então qualquer coisa que nos qualifique ou capacite para fazer isso melhor precisa ser aceita com alegria.

Com frequência, Deus usa as coisas e as pessoas mais próximas a nós para realizar a maior obra em nosso coração, nossa mente e nossa alma. O que precisamos lembrar nessas situações de conflito é que o Senhor sempre tem um propósito para a dor (Rm 8.28) quando a entregamos a ele e à sua vontade. Seu cônjuge não é um inimigo, mas um instrumento que Deus por vezes permite que apare suas arestas, fortaleça seus pontos fracos e aprofunde a autenticidade tanto de sua fé quanto de seu amor.

Certo homem que eu aconselhava veio até mim na igreja um dia após o culto e disse:

— Pastor, minha esposa está me matando!

Eu sorri, coloquei as mãos em seus ombros e disse:

— Você me disse que queria ser mais parecido com Jesus, não é mesmo?

Ao longo de toda a vida, precisamos morrer para o eu (a carne ou a natureza pecaminosa) a fim de que a plenitude do Espírito Santo de Deus habite dentro de nós e manifeste seus frutos. Infelizmente, para a maioria dos casamentos, a união conjugal pode apresentar algumas das maiores oportunidades para que essa morte aconteça.

Se você faz parte de um dos poucos casais que vivem em uma romântica lua de mel prolongada, então talvez este capítulo não se aplique à sua experiência. Mas, após décadas de aconselhamento a casais cujo casamento parecia perfeito na superfície, mas que não era assim debaixo dos panos, tenho o palpite de que este capítulo se aplica a mais casais entre nós do que gostaríamos de admitir.

Junto com o casamento, vêm conflitos — discordâncias em questões como valores, preferências, desejos, características e controle. Não importa o que causa conflito em seu casamento, se você e seu cônjuge aprenderem a enxergá-lo pelas lentes do amor de Deus, podem crescer a partir dessas diferenças, em vez de permitir que elas os destruam.

Com frequência, Deus usa as coisas e as pessoas mais próximas a nós para realizar a maior obra em nosso coração, nossa mente e nossa alma.

O propósito do espinho

Uma das melhores passagens sobre como ter uma perspectiva do reino diante de dificuldades ou conflitos pode ser encontrada na segunda carta de Paulo à igreja de Corinto. Trata-se de uma passagem familiar para a maioria das pessoas que frequenta a igreja, mas raramente é aplicada de forma direta ao casamento. Diz assim: "Portanto, para evitar que eu me tornasse arrogante, foi-me dado um espinho na carne, um mensageiro de Satanás para me atormentar e impedir qualquer arrogância" (2Co 12.7).

Antes de nos aprofundarmos, quero deixar uma palavra de cautela: não veja seu cônjuge como um "mensageiro de Satanás" ou "espinho na carne". Seu cônjuge é um presente que

Deus lhe deu para melhor capacitá-lo a cumprir seu destino divino na vida. Precisamos tomar cuidado para fazer essa distinção antes de nos dedicarmos a essa passagem. A verdade é que Deus pode usar as pessoas — até mesmo o diabo —, e o faz muitas vezes com o intuito de desenvolver nossa maturidade e nosso caráter espiritual.

A palavra grega para "espinho" nessa passagem se refere a algo que causa irritação. É como uma farpa que sai de um pedaço de madeira e fica presa debaixo da pele. Envolve qualquer coisa que cause exasperação, frustração ou irritação. Mas lembre-se: a pessoa não é o espinho; ela é apenas o veículo pelo qual Deus permite que o espinho venha.

O espinho pode se referir a algo que seu cônjuge faz ou deixa de fazer que leva você a suspirar de frustração. Ou pode ser uma diferença de perspectiva que vocês dois nunca conseguiram resolver. Pode ser uma série de coisas. A Bíblia não nos conta qual era o "espinho" específico que o Senhor fez Paulo suportar. Alguns dizem que era um problema de visão, enquanto outros especulam que podia ser a solidão. Contudo, uma vez que o termo *mensageiro* é usado, é bem possível que o espinho fosse uma pessoa usada pelo diabo para irritá-lo. Qualquer que seja o caso, o princípio permanece o mesmo: um espinho é algo que Deus dá ou permite que cause dor ou cansaço em prol de um propósito espiritual específico.

O espinho é algo que Deus dá ou permite que cause dor ou cansaço em prol de um propósito espiritual específico.

Alguns de nós lidam com espinhos emocionais no casamento. São coisas ligadas a nossos sentimentos. Pode ser a solidão. Aliás, algumas das pessoas mais solitárias que conheço são casadas. Isso acontece quando falta conexão autêntica ou amizade no relacionamento, que deixa o casal se sentindo isolado. Ainda que estejam juntos, sentem-se sozinhos. Alguns outros espinhos emocionais podem ser a depressão, o remorso, a dor e um espinho comum no casamento: a amargura.

Alguns casais lidam mais com os espinhos relacionais. Isso acontece quando a personalidade, as peculiaridades, tendências ou preferências de um dos cônjuges simplesmente incomodam o outro. Embora não haja justificativa bíblica para o divórcio, tampouco existe atração, afeto ou apreço evidentes no casamento. Tais casais costumam se sentir espiritualmente presos, infelizes porque suas necessidades não estão sendo atendidas, mas também incapazes de fazer algo relevante para mudar essa realidade.

Já vi casamentos desgastados por espinhos financeiros também. Apesar de os dois trabalharem, há casais que acham difícil prover o sustento necessário. Raramente desfrutam a liberdade de apreciar os frutos de seus esforços. Ou, quem sabe, por causa de dificuldades financeiras, ficam presos em empregos nos quais são infelizes e o descontentamento acaba transbordando para o relacionamento conjugal dentro de casa. E, quando parece que finalmente estão prestes a sair do abismo das dívidas, aparece outra despesa que os mantém ali. Parecem não conseguir se livrar das tempestades financeiras.

Existem também os espinhos físicos. São problemas de saúde, como doenças crônicas, enxaquecas que não passam, deficiências, baixo nível de energia, câncer ou diversas outras enfermidades. O casamento não parece promissor quando assolado por problemas de saúde. As estatísticas dizem que mais de 75% dos casamentos em dificuldades terminam em divórcio quando um dos cônjuges sofre de alguma doença crônica.[2] Não são boas perspectivas. O estresse dos problemas ligados à saúde com frequência cobra um preço alto dos casais. Certo homem que cuidava da mulher com esclerose múltipla havia mais de vinte anos me contou que os dois costumavam ir a congressos sobre o assunto todo ano, mas pararam de frequentar os eventos, entristecidos ao ver quantos cônjuges eram abandonados depois de receber o diagnóstico da doença. Contaram que era raro ver casais juntos; a maioria dos cônjuges havia ido embora.

Os espinhos surgem em todos os formatos e tamanhos; no entanto, seja qual for sua magnitude ou aspereza, eles sempre machucam. Se você já andou descalço em um quintal no Texas, sabe do que estou falando. Mal dá para ver as pequenas farpas nas extremidades das ervas daninhas que crescem em meio à grama, mas elas machucam o bastante para impedi-lo de seguir em frente.

Ninguém gosta de espinhos, grandes ou pequenos. Por isso, o primeiro princípio para pôr em prática no casamento é admitir que *os casamentos são acompanhados de espinhos simplesmente porque tanto o marido quanto a mulher são humanos*. O casamento é acompanhado de dor. Ignorar essa realidade ou minimizá-la só fará as feridas crescerem e apodrecerem, em vez de cumprir o propósito a que foram designadas, que é nos tornar maduros à semelhança de Jesus Cristo.

O segundo princípio a que devemos nos dedicar no casamento é reconhecer que *os espinhos são um presente*. O apóstolo Paulo afirmou: "Foi-me *dado* um espinho na carne" (2Co 12.7). Paulo não tropeçou no espinho sem querer. Não foi algo que aconteceu enquanto ele saía de casa certo dia. Ele não esbarrou no espinho nem correu atrás dele. O espinho que lhe causava dor lhe foi "dado" por Deus, por meio de um "mensageiro de Satanás".

Ao que tudo indica, Deus está envolvido nesse negócio de distribuir espinhos. Não ouvimos muito a esse respeito em nosso tempo, que vê Deus como uma espécie de Papai Noel cósmico com a obrigação de nos abençoar, fazer prosperar e expandir fronteiras com seu favor. Embora o Senhor realmente faça todas essas coisas, não devemos esquecer que ele tem o grande interesse de nos desenvolver ao longo do caminho. Uma das piores coisas que poderiam acontecer com uma pessoa seria chegar a seu destino e ainda ser espiritualmente imatura para vivê-lo por completo. A oportunidade é desperdiçada ou mal aproveitada.

> *O casamento é acompanhado de dor. Ignorar essa realidade ou minimizá-la só fará as feridas crescerem e apodrecerem.*

É por isso que uma das orações mais perigosas que se pode fazer dentro do casamento é pedir que Deus o abençoe. A estrada rumo às bênçãos costuma estar repleta de lições a serem aprendidas primeiro, a fim de desenvolver a fé. Tais lições fortalecem o caráter, cultivam as virtudes e aprofundam o amor, para que, quando recebermos as bênçãos de Deus, não as desperdicemos por causa de nossa inutilidade como cristãos. Sei que *inutilidade* pode parecer uma palavra dura, mas não fui eu que a escolhi, e sim o apóstolo Pedro. Então resolva isso com ele quando o encontrar no céu! Pedro nos lembra das muitas camadas de nosso desenvolvimento pessoal que devemos aceitar e colocar em prática, a fim de não levar uma vida "inútil":

> Diante de tudo isso, esforcem-se ao máximo para corresponder a essas promessas. Acrescentem à fé a excelência moral; à

excelência moral o conhecimento; ao conhecimento o domínio próprio; ao domínio próprio a perseverança; à perseverança a devoção a Deus; à devoção a Deus a fraternidade; e à fraternidade o amor. Quanto mais crescerem nessas coisas, mais produtivos e úteis serão no conhecimento completo de nosso Senhor Jesus Cristo.

2Pedro 1.5-8

Quando você ora pedindo a Deus que o ajude a amar seu cônjuge mais completamente ou que seu cônjuge o ame mais profundamente, lembre-se do caminho que ensina e cultiva o amor. Ele inclui autocontrole, perseverança, bondade e muito mais. Da última vez que conferi, virtudes como essas não brotavam por conta própria. Em vez disso, desenvolvem-se com o tempo e, não raro, por meio dos espinhos.

Aprenda com o espinho

Como você sabe que está enfrentando um espinho? Porque ele não vai embora. Em 2Coríntios 12.8, lemos: "Em três ocasiões, supliquei ao Senhor que o removesse". O espinho de Paulo o estava alfinetando e não iria parar, por mais tempo que o apóstolo passasse com o Senhor em oração. Se esse for o caso em seu casamento, pense no que Deus pode estar querendo que você aperfeiçoe por meio do problema que está enfrentando. Muitos de nós apenas desejam se ver livres de algo

Quando você ora pedindo a Deus que o ajude a amar seu cônjuge mais completamente ou que seu cônjuge o ame mais profundamente, lembre-se do caminho que ensina e cultiva o amor.

que o próprio Deus nos concedeu. O Senhor deu o espinho a Paulo por meio de Satanás porque queria desenvolver algo no apóstolo: seu desejo era que Paulo aprendesse a depender da força de Deus.

Se você tem orado por algo em seu relacionamento e não parece que Deus está atendendo à sua oração, removendo o problema ou apresentando a solução, da próxima vez que procurar o Senhor em oração pergunte-lhe o que ele deseja ensinar a você e a seu cônjuge por meio desse espinho.

Um dos motivos para Deus ter lhe dado um espinho é que ele deseja lhe mostrar algo novo. Ele quer que você veja além de sua compreensão normal e, sem isso, talvez a sua atenção não fosse conseguida com facilidade.

Muitos cristãos estão satisfeitos com uma vida normal, em lugar da vida plena pela qual Jesus morreu para oferecer. Por causa disso, desperdiçam tempo reclamando sobre os espinhos e tentando acobertar a dor com distrações, em lugar de perguntar ao Senhor o que ele deseja ensinar que os levará ao próximo nível de maturidade espiritual.

Os atletas de times profissionais não chegaram aonde estão sem uma quantidade significativa de dor. Para desenvolver os músculos e aperfeiçoar as habilidades, eles precisam fazer exercícios, praticar e se preparar. É necessário que vivenciem os espinhos intencionalmente, a fim de que estes os levem aonde eles necessitam chegar. De modo semelhante, nenhum cristão maduro chega lá apenas por desejar. O crescimento acontece por meio de disciplina, de aprendizado e da aplicação das verdades de Deus aos cenários da vida. A maturidade em seu casamento será conquistada à medida que os dois buscarem a sabedoria divina em relação aos espinhos que o Senhor lhes permite experimentar, em lugar de se ressentirem um do outro por serem os escolhidos para dar a lição necessária.

Outro motivo para Deus dar espinhos no casamento é impedir que exaltemos a nós mesmos. Paulo disse: "Portanto, para evitar que eu me tornasse arrogante, foi-me dado um espinho na carne" (2Co 12.7). Os espinhos nos lembram de que somos humanos, assim como todas as outras pessoas. Eles nos mantêm dependentes de Deus. Sem espinhos, nossa tendência é nos esquecer de que necessitamos de Deus. Qual é a diferença de sua vida de oração e seu tempo com a Palavra do Senhor quando você está passando por uma prova, em comparação com os momentos em que tudo parece ir bem? As provações e os espinhos colocam a maioria de nós de joelhos. Deus não quer que nos esqueçamos de onde vem a fonte de toda a vida plena em nosso casamento.

O terceiro motivo para Deus permitir espinhos em nossa vida é resolver um pecado real ou até mesmo em potencial dentro de nós. O espinho pode ter natureza disciplinar, embora nem sempre seja assim (Hb 12.8-11). Às vezes, quando Deus permite que as circunstâncias, as pessoas ou as situações nos incomodem, é por querer resolver algo que talvez não tenhamos percebido ou de que não desejaríamos nos arrepender sem a presença do espinho. No mínimo, o Senhor quer nos livrar do pecado do orgulho e da autossuficiência.

Sua reação aos espinhos

Conforme vimos anteriormente, a primeira reação do apóstolo Paulo a seu espinho foi orar. Ele suplicou ao Senhor que o livrasse do espinho (2Co 12.8). Seguindo o exemplo de Paulo, devemos primeiro orar acerca dos espinhos que vivenciamos no casamento. Para que seu casamento alcance o maior potencial em termos tanto de realização quanto de propósito, ele necessita ser regularmente revestido de oração. Em vez de reclamar que o espinho o irrita, leve-o ao Senhor e pergunte se ele pode removê-lo. É possível que Deus simplesmente faça isso. Mas se a resposta for não e o Senhor não tirar o espinho após diversos pedidos, então busque a sabedoria divina em relação ao que ele deseja que você aprenda em meio a isso tudo. E peça a força de Deus para suportá-lo, assim como Deus orientou Paulo que o fizesse. O Senhor não tirou o espinho do apóstolo, mas lhe deu uma importante compreensão: "Minha graça é tudo de que você precisa. Meu poder opera melhor na fraqueza" (v. 9).

Minha tradução ficaria assim: "Não irei atender a seu pedido, Paulo, mas atenderei à sua necessidade". Nesse meio-tempo, enquanto Deus atendia à necessidade do apóstolo de obter graça para lidar com o espinho que lhe fora dado, o Senhor também estava aperfeiçoando o poder de Paulo para ter uma vida plena. Desenvolveu Paulo para um propósito que ainda estava por vir.

Os espinhos nos lembram de que somos humanos, assim como todas as outras pessoas.

Deus nem sempre responde "sim". Caso o fizesse, sua soberania não seria possível. E viveríamos num mundo de dor. Quando você olha para trás e relembra aquilo que pediu em oração, por quantos "não" recebidos consegue agradecer agora? Dizem que enxergamos melhor em retrospectiva, mas Deus sempre enxerga com perfeição — passado, presente e futuro.

Embora Deus possa não remover o espinho por meio de uma resposta afirmativa às suas orações, posso lhe garantir que, se estiver enfrentando um espinho que o Senhor se recusa a retirar, ele o suprirá com graça suficiente para que você lide com o problema. Essa promessa se baseia na Palavra de Deus e se encontra naquele que considero o maior versículo sobre graça de toda a Bíblia: "Deus é capaz de lhes conceder todo tipo de bênçãos, para que, em todo tempo, vocês tenham tudo de que precisam, e muito mais ainda, para repartir com outros" (2Co 9.8). A profusão da graça de Deus está disponível a qualquer momento que você precisar. Só é necessário acessá-la por meio da dependência na força divina e do foco na vontade do Senhor em meio à dor e à provação.

Se você está lidando com um espinho no relacionamento conjugal e orou por sua situação mas Deus não o removeu, peça-lhe sua graça. Não tente remover o espinho sozinho, porque você acabará rasgando algo. Em vez disso, vá em busca da graça divina. A diferença entre um casamento derrotado e um casamento vitorioso com o mesmo espinho é que o casal vitorioso vivencia a graça, ao passo que o outro tenta consertar as coisas por conta própria. Um dos casamentos repousa sob a cobertura espiritual da graça, enquanto o outro batalha por tudo na esfera física.

Se estiver enfrentando um espinho que o Senhor se recusa a retirar, ele também suprirá a graça suficiente para que você lide com o problema.

Existem sempre duas maneiras de lidar com qualquer problema no casamento. Uma delas é livrar-se do problema. Não há nada de errado com isso. Se é possível resolver o problema de maneira eficaz, vá em frente. A outra maneira é acontecer algo tão superior em seu casamento que o leva a se esquecer do problema ou não o considerar tão problemático assim, passando a enxergá-lo por meio das lentes espirituais do aprendizado. Por exemplo, digamos que você sofre de depressão, mas, ao sair para conferir a caixa de correio amanhã, encontra um cheque legítimo com um milhão de reais. Você acha que irá se sentir deprimido nesse dia? É bem provável que não, pois aconteceu algo tão extraordinariamente glorioso que acabou pisoteando o espinho, fazendo-o parecer menos significativo.

Casados, servimos a um Deus capaz de agir extraordinária e abundantemente acima da situação devastada de seu lar e casamento, contanto que vocês abaixem as espadas, parem de enxergar um ao outro como espinho e procurem o propósito a que ele serve. Se vocês passarem a vida correndo dos espinhos, perderão de vista a revelação e a iluminação — e a graça — que Deus deseja lhes dar.

Todos nós já fomos ao médico e, em algum momento, fomos espetados por uma agulha afiada. Essa agulha nos irrita, faz com que muitos de nós odeiem injeções e, quem sabe, que odeiem até mesmo os médicos. No entanto, dentro da picada da agulha se encontra um remédio planejado para nos fazer bem.

Parem de enxergar um ao outro como espinho e procurem o propósito a que ele serve.

O mesmo objeto que nos machuca também pode nos ajudar. Mas se você disser à enfermeira: "Não me pique porque essa agulha machuca", até ficará livre da dor imediata, mas também não receberá o medicamento e o bem que ele seria capaz de lhe proporcionar: uma boa saúde.

Se neste momento Deus está espetando seu casamento de alguma maneira — e se há algo que verdadeiramente o irrita —, ore e peça que ele conserte ou remova o problema. Mas se isso não acontecer, é necessário aceitar que o Senhor tem um remédio dentro do espinho que fará você e seu casamento terem uma saúde melhor.

O apóstolo Paulo aprendeu essa lição acerca do espinho. Sabemos disso pela reação que ele teve. Se você também reagir assim em seu casamento, ficará surpreso com a força que Deus lhe dará. Você será capaz de lidar bem com coisas que o faziam perder a cabeça. As palavras desrespeitosas que costumavam escapar de seus lábios não serão mais proferidas. A amargura, a raiva ou as suspeitas que você costumava nutrir serão substituídas por paz e confiança.

Paulo disse:

> Portanto, agora fico feliz de me orgulhar de minhas fraquezas, para que o poder de Deus opere por meu intermédio. Por isso aceito com prazer fraquezas e insultos, privações, perseguições e aflições que sofro por Cristo. Pois, quando sou fraco, então é que sou forte.
>
> 2Coríntios 12.9-10

Paulo não só aceitou seu espinho, como também se gabou dele. Louvou a Deus por suas fraquezas, pois, por meio delas, descobriu sua verdadeira força. Reclamar, resmungar ou dizer "Não é justo" ou "Sou uma mulher refinada demais para ter um marido tão insensível" não é se orgulhar de seu espinho. Orgulhar-se envolve aproximar-se do trono de Deus com louvor a ele por lhe dar a graça de que você necessita para crescer em meio ao espinho. É aprender o poder secreto do contentamento e da gratidão, sabendo que Deus permitiu o espinho para o seu bem e o bem de seu relacionamento.

Ostras e mariscos sofrem irritação com regularidade. Sempre que entra areia em suas conchas, ficam irritadiças.

O problema é que a ostra, assim como Paulo, não consegue se livrar do que a está incomodando. Em vez disso, o que a ostra faz é envolver a areia com um líquido. E ela continua a fazer isso até que o grão de areia se transforme em uma pérola. Torna-se algo valioso e caro porque foi permitido que permanecesse ali dentro para cumprir seu propósito.

> *Quando a graça de Deus cobrir o espinho, ele se tornará uma bênção em algum momento se você parar de resistir.*

A graça divina é tudo de que você necessita para transformar os espinhos de seu casamento em pérolas de grande valor. Quando a graça de Deus cobrir o espinho, ele se tornará uma bênção em algum momento se você parar de resistir e ceder a ele, buscando sabedoria e força divinas.

8
Pedidos

Todos nós temos um pneu de reserva no carro, em caso de necessidade. O estepe fica guardado no porta-malas para o momento em que tivermos um vazamento de ar ou quando um pneu furar. Na maior parte do tempo, nem lembramos do estepe, até que algo dê errado. No entanto, assim que o problema acontece, corremos para o porta-malas e pegamos o pneu de reserva a fim de que nos ajude a sair de uma situação problemática.

Muitos casais hoje encaram a oração como o pneu estepe — guardada fora da vista, só para quando for necessário. É fácil se esquecer de orar, até sentir que necessita se ver livre de uma confusão. E mesmo então, enquanto o casamento sucumbe, a oração costuma ser um componente negligenciado. Os cônjuges estão bravos demais um com o outro para pensar em orar pelo cônjuge. Ou são como a mulher que me contou, durante uma sessão de aconselhamento, que estava decepcionada. Quando perguntei o motivo, ela explicou que seu marido estava melhorando e agora ela já não tinha desculpa nenhuma para pedir o divórcio. Quando o coração fica tão endurecido assim, a oração já perdeu seu valor há muito tempo.

Muitos casamentos são anêmicos porque a vida de oração é anêmica. Muitos relacionamentos são vazios porque a vida de oração é vazia. Muitas aspectos da vida sexual do casal são abaixo do esperado porque a vida de oração é abaixo do esperado. Muitos de nossos lares são repletos de conflito e caos porque deixamos de acessar o único instrumento vital que poderia estabelecer a paz: a oração.

Com frequência, a oração no casamento é semelhante ao hino nacional antes de um jogo de futebol. Marca o início da partida, mas não tem nada a ver com o que acontece em campo. É uma cortesia que proferimos antes de comer ou dormir, ou quem sabe antes de começar uma viagem. Mas para por aí. Assim, a oração é procurada em tempos de cortesia ou de crise, raras vezes sendo usada de maneira contínua a fim de acessar tudo aquilo que Deus planejou para nossa vida e nosso casamento.

> *Muitos de nossos lares são repletos de conflito e caos porque deixamos de acessar o único instrumento vital que poderia estabelecer a paz: a oração.*

Quero que pensemos juntos sobre a oração pelos olhos de Paulo. Escolhi a reflexão de Paulo sobre oração por causa do lugar onde ele se encontrava quando escreveu a carta para a igreja de Filipos: na prisão.

Sei que o casamento não é uma prisão, mas, após aconselhar mais de mil casais ao longo de muitos anos, já ouvi repetidamente essa comparação. Por vezes o cônjuge se sente confinado a um sistema de compromisso que limita sua liberdade, ao mesmo tempo que reprime sua voz. Acha que enquanto muda para agradar o outro, este, por sua vez, pouco faz para o agradar. Não acredito que esse sentimento sempre corresponda à realidade, mas é bastante comum.

Assim, Paulo estava na prisão, um ambiente adequado para nos ajudar a descobrir algo acerca do poder da oração no casamento. Na epístola de Paulo aos filipenses, ficamos sabendo que, além de estar na cadeia, ele também se encontrava em situação de pobreza, não sabia se sairia dali vivo ou se seria executado, tinha inimigos conspirando contra ele dentro da prisão e precisava lidar com conflitos alheios fora da prisão também. Se alguém merecia uma dispensa da oração, seria Paulo, com certeza. Se alguém merecia jogar as mãos para o alto e dizer: "Ei! Eu estou em uma situação desesperadora. Orem por mim, pois estou vazio", seria Paulo. Em vez disso, o apóstolo nos ensinou algumas das maiores verdades acerca da oração enquanto estava na prisão, cercado por tumulto, ansiedade e conflito.

Se Paulo era capaz de não só praticar a oração nessas condições, mas também de incentivar outros a fazer o mesmo, então você e eu não temos desculpas para não aplicar os princípios da oração em nosso casamento. E para aqueles cujo casamento já é bem razoável — não está em crise, nem parece uma prisão —, seguir estes princípios ajudará você e seu cônjuge a alcançarem um nível ainda mais profundo de confiança, intimidade e propósito comum. Eles se aplicam a todos nós, mas, infelizmente, são usados de modo insuficiente.

Sem preocupações

Paulo começa seu tratado sobre as súplicas a Deus com as seguintes palavras: "Não vivam preocupados com coisa alguma" (Fp 4.6). Mesmo se tudo o que fizermos for aprender isso e aplicá-lo ao casamento, já nos teremos poupado de muita dor de cabeça. A ansiedade é uma praga que assola muitos de nossa era. Cada vez mais pessoas recorrem a medicações ansiolíticas. Ansiedades e preocupações estão na raiz de boa parte dos conflitos conjugais. Seja pela situação financeira, saúde, por necessidades relacionais, pelo futuro, seja até se um cônjuge está sendo honesto e fiel, um bom número de coisas pode despertar sentimentos de ansiedade.

Paulo, porém, em meio à prisão e sob o peso da possibilidade de ser executado, diz que não devemos ficar preocupados com coisa alguma. Ele não diz que não nos preocupemos com quase nada, ou que reservemos a preocupação para problemas grandes, não miudezas. O apóstolo é claro em dizer que não devemos viver preocupados com *coisa alguma*.

De que maneira isso está ligado à sua vida de oração? Isso define o tom, a mentalidade e a atmosfera de suas orações, e também a atitude que você manterá ao longo do dia. Afinal, Paulo nos orientou: "Nunca deixem de orar" (1Ts 5.17). Não significa que você andará recitando orações o dia inteiro, mas que, em todas as coisas que fizer e disser, incluirá o Senhor e a perspectiva dele.

Deus não é dividido em compartimentos — ele é Rei, Criador e Governante sobre todas as coisas. Por causa disso, a cosmovisão e a perspectiva dele devem influenciar tudo o que fazemos. Orar sem cessar aumenta nossa comunhão contínua com Cristo. Fomos instruídos a fazer isso para que tenhamos vida plena e nossas orações sejam respondidas. Jesus falou sobre a ação e os benefícios de nunca deixar de orar quando disse: "Se vocês permanecerem em mim e minhas palavras permanecerem em vocês, pedirão o que quiserem, e isso lhes será concedido!" (Jo 15.7).

Ansiedades e preocupações estão na raiz de boa parte dos conflitos conjugais.

No entanto, não dá para se preocupar e permanecer em Cristo. Uma coisa exclui a outra, assim como não dá para entrar na água sem se molhar. Jesus é sua paz (Ef 2.14). Ciente disso, Paulo definiu a estrutura para a comunhão com Deus em oração por meio de instruções para não sermos ansiosos. Se sua vida de oração é fraca, você sofrerá com muitas preocupações.

Ore sobre tudo

Primeiro Paulo diz que não nos preocupemos com nada, em seguida nos orienta: "mas em tudo, pela oração e súplicas, e com ação de graças, apresentem seus pedidos a Deus" (Fp 4.6, NVI). Paulo usou quatro expressões para oração nesse versículo: oração, súplica, ações de graças e pedidos. A primeira palavra, *oração*, diz respeito à comunicação geral. A segunda, *súplica*, envolve uma atitude de apelo a Deus. A terceira, *ações de graças*, expressa nossa atitude para com Deus. E a quarta, *pedido*, diz respeito a ser bem específicos naquilo que pedimos ao Senhor.

Se sua vida de oração é fraca, você sofrerá com muitas preocupações.

Se você seguir o esboço de oração delineado por Paulo, terá menor propensão a se preocupar. Não se preocupar com nada e orar sobre tudo — se você aplicar somente esses dois princípios do livro inteiro ao seu casamento, verá mudanças drásticas. Isso acontece porque a oração aliada à fé (falta de preocupação) é extremamente poderosa (Mc 11.23). Se a fé pode mover montanhas, também é capaz de tornar seu casamento maravilhoso.

Conforme mencionei antes, minha filha Priscilla estrelou recentemente um filme chamado *Quarto de guerra*, cujo tema principal é a oração. Priscilla dá vida à personagem Elizabeth Jordan, mulher cujo casamento deu errado. A frustração e a raiva de Elizabeth haviam contribuído para o distanciamento e o fim de seu relacionamento com o marido, Tony. Mas, enquanto passava por essas dificuldades, ela conheceu uma senhora que se dedicou a mentoreá-la em oração.

Essa mulher idosa a ensinou a "batalhar" no "quarto de guerra" — seu *closet*. Orientou Elizabeth a levar ao Senhor seus problemas e suas preocupações com o marido. Elizabeth escreveu suas orações em pedaços de papel e as colou nas paredes do *closet*. Também começou a passar tempo regular nesse lugar de oração, batalhando pela intervenção divina no que parecia, para a maioria, um casamento fadado ao divórcio.

Não vou estragar o filme para os que ainda não assistiram, mas, quando o vi pela primeira vez, junto com Priscilla e o restante da família, senti-me grato pela mensagem transmitida ali na tela. A oração realmente muda as coisas, mas são poucos dentre nós que a usam com o poder que ela de fato tem. Não entregamos nossas preocupações a Deus, nem lhe damos graças nos momentos de oração. Em vez disso, reclamamos e damos um *show* de autocomiseração. Paulo, porém, nos instrui a deixar as preocupações de lado e nos aproximar de Deus em espírito de gratidão.

"E se não houver nada pelo que agradecer?", você pode estar perguntando. Então agradeça pelo que o Senhor fará, pois nada é impossível para ele (Lc 1.37). Seja grato porque ele lhe dá a oportunidade de orar. Agradeça porque ele os uniu como casal há tanto tempo. Agradeça pelos planos que ele tem para vocês. Agradeça porque o conduziu a orar. Agradeça por sua Palavra e pelas promessas nela encontradas. Apenas seja grato, pois é por meio da gratidão que você exprime confiança em Deus e em seu agir.

Ao deixar as preocupações de lado, substituindo-as por gratidão, você exercita a fé. Por meio dessa fé, você manifesta seus pedidos a Deus. Seja o mais específico possível. Às vezes é bom ser específico, porque, quando o Senhor atende à oração, você tem a certeza de que só ele poderia ter feito isso. E sua fé cresce ainda mais.

Se seu cônjuge não se comunica com você da maneira que você gostaria, peça isso em oração. Se ele se afastou, peça a Deus que restaure a paixão que um dia existiu e a torne mais intensa. Se você se casou com uma pessoa bagunceira e isso o enlouquece, peça ao Senhor que intervenha nessa situação. Ele pode mudar o problema ou mudar a sua maneira de lidar com o problema. De um jeito ou de outro, ele responderá à sua oração, quando for aliada a um coração agradecido e confiante.

Ao deixar as preocupações de lado, substituindo-as por gratidão, você exercita a fé.

É verdade que Deus nem sempre responde às nossas orações como queremos. Às vezes ele quer nos ensinar algo por meio da espera, dando-nos a habilidade de aguardar ou de receber um "não" como resposta quando entregamos o assunto a ele.

Com muita frequência, reagimos ao cônjuge guiados pelas emoções, em vez de pedir ajuda de Deus para ver qual deve ser nossa reação. Quantas vezes você disse ou fez algo para seu cônjuge e acabou se arrependendo depois? O Senhor poderia ter evitado isso, se você o tivesse buscado em oração, pedindo sabedoria em relação a como agir. Muitos cônjuges estão tentando ser o Espírito Santo na vida do companheiro, em vez de dar espaço para o *verdadeiro* Espírito Santo agir. Quando você perceber uma necessidade de crescimento em seu cônjuge, leve a questão ao Senhor e peça ao Espírito Santo que o oriente, corrija e ensine. Na maioria das vezes, Deus lhe mostrará coisas em sua vida que também necessitam ser melhoradas, e isso ajudará a situação.

Faça questão de começar cada dia revestindo seu casamento de oração. Não precisa ser uma oração longa, mas ela necessita ser autêntica. Agradeça a Deus por seu cônjuge e ore pedindo que a vontade dele se manifeste na vida de seu companheiro. Peça que seu cônjuge cresça nas esferas espiritual e emocional, e até que ele seja fisicamente saudável. Clame ao Senhor que cerque seu companheiro de relacionamentos piedosos e revele com clareza o propósito divino para a vida dele. Também rogue a Deus que dê a seu cônjuge o desejo de administrar bem os recursos da família e também de liderar, de aprender e de amar você. Peça a Deus que acresça mais paixão e espontaneidade à vida sexual de vocês. E suplique ajuda para seu cônjuge amar o Senhor de todo o coração, toda a alma e todo o entendimento.

Seu casamento é uma aliança espiritual e alvo diário dos ataques de Satanás.

Depois de fazer todos esses pedidos e muito mais, passe a orar por você a cada dia, rogando ao Senhor que faça as mesmas coisas em sua vida. Peça-lhe que lhe dê um espírito manso ao lidar com seu cônjuge. Suplique-lhe que ambos sejam amigos e amantes, aventureiros e parceiros de oração, revelando qualquer coisa no relacionamento de vocês que possa ser melhorada. Clame a Deus que dê sensibilidade aos dois para buscá-lo antes de reagirem um ao outro.

Talvez você esteja dizendo: "Mas, Tony, é muita coisa para orar todos os dias!". Pois saiba que ainda não acabei! Seu casamento é uma aliança espiritual e alvo diário dos ataques de Satanás. Você diria que é exagero um grupo de soldados no campo de batalha montar a defensiva e ofensiva contra o inimigo todos os dias? Tampouco é excessivo para você revestir diariamente seu casamento de oração.

Depois de orar por todas essas sugestões e tudo o mais que você desejar acrescentar com regularidade, não se esqueça de cobrir seu casamento com o sangue de Jesus Cristo, em busca de proteção em relação aos dardos, esquemas, truques e tentações do inimigo. Peça ao Senhor que posicione anjos ao redor de você e de seu cônjuge, para guardá-los de qualquer coisa que o inimigo mandar para destrui-los e repreenda Satanás (em nome de Jesus) por qualquer mal que tentar fazer contra vocês.

Transforme a oração em hábito e na primeira estratégia tanto defensiva quanto ofensiva em seu casamento, e observe o que Deus fará!

Mas suas orações pelo casamento não devem parar por aí. Mantenha o relacionamento conjugal como prioridade em sua mente e, quando começar a se sentir frustrado com o cônjuge por algum motivo, procure a Deus *primeiro*, antes de reagir. Peça-lhe iluminação sobre como você deve reagir, e peça intervenção divina caso creia que seu cônjuge está errado. Transforme a oração em hábito e na primeira estratégia tanto defensiva quanto ofensiva em seu casamento, e observe o que Deus fará! Você ficará surpreso com quão rápido ele é capaz de curar corações, reavivar o amor, aprofundar o respeito e o vínculo quando o casamento é conduzido de acordo com a hierarquia e cobertura espiritual que Deus proporciona.

A paz de Deus

É possível que nem todas as orações sejam atendidas exatamente como você pediu, pois os caminhos de Deus são superiores aos nossos e precisamos confiar que ele sabe o que é o melhor (Is 55.8-9). No entanto, em Filipenses 4.7, Paulo nos fala sobre algo que podemos contar com certeza quando oramos dessa maneira: "Então vocês experimentarão a paz de Deus, que excede todo entendimento e que guardará seu coração e sua mente em Cristo Jesus". Nós teremos paz. Conheço alguns casamentos que se beneficiariam de mais paz. Quem sabe o seu também? Paz é a calma em meio à tempestade. Paz não é a promessa de que você não terá mais problemas, mas a garantia de que seus problemas já não terão controle sobre você. As Escrituras apresentam esta promessa em Isaías: "Tu guardarás em perfeita paz todos que em ti confiam, aqueles cujos propósitos estão firmes em ti" (26.3).

Aquilo que costumava incomodar, irritar e agitar você, levando-o a reagir sem amor ao cônjuge, não o fará mais, pois você tem a paz que excede todo entendimento. Como é possível viver com um cônjuge infeliz e, mesmo assim, permanecer cheio de alegria e paz? É possível porque a paz que Deus nos dá vai além do que somos capazes de explicar. Essa paz permanece como um sentinela — um soldado — para "guardar" seu coração e sua mente. Quando Paulo escreveu essa palavra, usou um termo militar. Às vezes o casamento pode parecer uma guerra, não é mesmo? Mas quando você entrega seu relacionamento conjugal em oração, de acordo com os princípios apresentados na carta que o apóstolo escreveu na prisão, Deus manterá em calma o epicentro de suas emoções, porque ele próprio as *guardará* com sua paz.

Todas as preocupações estão ligadas a nossos pensamentos. Toda a raiva está ligada a nossos pensamentos. Aliás, todas as emoções estão ligadas a nossos pensamentos. Nós nos preocupamos porque pensamos errado. É por isso que Paulo mirou em nossos pensamentos após refletir sobre a oração:

> Por fim, irmãos, quero lhes dizer só mais uma coisa. Concentrem-se em tudo que é verdadeiro, tudo que é nobre, tudo que é correto, tudo que é puro, tudo que é amável e tudo que é admirável. Pensem no que é excelente e digno de louvor. Continuem a praticar tudo que aprenderam e receberam de mim, tudo que ouviram de mim e me viram fazer. Então o Deus da paz estará com vocês.
> Filipenses 4.8-9

Só é possível mudar seus sentimentos depois de mudar seu modo de pensar, pois aquilo que controla sua forma de pensar determina como você se sente. Se você se preocupa com seu casamento, é porque tem pensamentos de preocupação acerca de seu relacionamento conjugal. Caso se sinta frustrado com o cônjuge, é porque tem pensamentos de frustração em relação a ele. Você está pensando nas circunstâncias erradas. Paulo nos lembra de que devemos pensar em coisas amáveis, boas, excelentes, puras e dignas de louvor. Alimente sua mente com esses pensamentos sobre seu casamento e você receberá o benefício de longo prazo prometido por Deus no versículo 9: "Então o Deus da paz estará com vocês".

Observe a diferença entre o versículo 7 e o 9. Quando desenvolvemos uma autêntica e constante vida de oração (de acordo com o v. 7), recebemos a paz de Deus. Mas quando aliamos a isso os pensamentos corretos, resultando em ações retas (segundo o v. 9), recebemos o Deus da paz. Paulo inverteu porque as duas coisas não são iguais. A paz de Deus é dada como forma de cobrir nossas emoções exageradas ou de estabilizar nossas reações. Isso é bom e fundamental, mas quando recebemos o "Deus da paz" ganhamos isso e muito mais. Aprofunda nosso relacionamento e a intimidade com o Deus onisciente, onipotente, soberano, compassivo e amoroso. Os atributos divinos se manifestam de tal maneira ao nosso redor que vivenciamos a presença de Deus como nunca antes.

Uma grande porcentagem de nossas orações diz respeito ao que chamo de pedidos de curto prazo. Clamamos por soluções para problemas que conseguimos enxergar. Mas servimos a um Deus de longo prazo, que sabe o que é melhor para nós anos e anos depois. O Senhor avalia o que fará para nós e quando o fará com base em nosso bem no longo prazo e em quanto estamos alinhados com seus planos para nosso destino e crescimento. Conforme disse antes, Deus pode não responder a todas as orações que você fizer por seu casamento da maneira que você gostaria. Aliás, ele pode até lhe pedir que espere. Consigo até ouvir sua reclamação: "Mas, Tony, não consigo mais esperar!".

Só é possível mudar seus sentimentos depois de mudar seu modo de pensar, pois aquilo que controla sua forma de pensar determina como você se sente.

E você está certo. Você não consegue esperar se estiver frustrado, emocionalmente desgastado, ferido e vivendo sem autocontrole. Mas dá para esperar se você tiver paz. Se você tiver a paz do Senhor, pode se manter firme para que Deus faça a obra de que tanto seu cônjuge quanto você necessitam para ter um relacionamento vibrante e saudável.

Um passo a mais na oração

Oração significa comunhão relacional com Deus. É a permissão terrena para uma intervenção celestial, e uma ferramenta poderosa nas mãos de qualquer cônjuge. Mas a Bíblia ensina um parâmetro específico para a oração no casamento que pode torná-la ainda mais poderosa: aliar oração a jejum sexual. Jejuar é abrir mão de um desejo do corpo porque você tem uma necessidade mais profunda no espírito. Maior que o alimento e, às vezes, até maior que o desejo por alimento, é a vontade que a pessoa tem por intimidade física. Ciente disso, pois afinal ele nos projetou desse modo, Deus não deixa esse assunto de fora de sua Palavra. O princípio nos é apresentado com clareza em 1Coríntios 7.5, em que Paulo escreveu as seguintes palavras:

> Não privem um ao outro de terem relações, a menos que ambos concordem em abster-se da intimidade sexual por certo tempo, a fim de se dedicarem de modo mais pleno à oração. Depois disso, unam-se novamente, para que Satanás não os tente por causa de sua falta de domínio próprio.

O contexto desse versículo é importante porque Paulo havia falado sobre intimidade sexual de maneira específica nos quatro primeiros versículos desse capítulo. Nessa passagem, ele foi claro em explicar que nem o marido nem a esposa devem negligenciar o cumprimento do "dever" de envolvimento sexual um com o outro. O sexo é um componente crucial do casamento que não só proporciona prazer, como também libera elementos bioquímicos complexos que, conforme a ciência já demonstrou, unem duas pessoas e desperta o desejo de proteção, lealdade e muito mais. Nosso Senhor não planejou o

Nosso Senhor não planejou o sexo para que fosse um mero hobby.

sexo para que fosse um mero *hobby*. Quando feito dentro do limite da aliança do casamento, o sexo é a cola (do ponto de vista bioquímico) que mantém os casais unidos.

No entanto, há uma ocasião na qual o Senhor nos instrui a deixar de ter relações conjugais: quando abrimos mão da intimidade física para obter intimidade espiritual ligada à oração. Note, por favor, o que Paulo escreveu: os cônjuges só podem fazer isso quando estiverem de "acordo" como casal. Em outras palavras, é preciso duas pessoas para tomar essa decisão, uma vez que, para o marido ou a esposa cristã, a relação sexual diz respeito a agradar ao outro, não apenas a si mesmo (v. 3-4).

Propósito da oração e do jejum sexual

O jejum sexual busca aprofundar a intimidade espiritual de um casal que busca o Senhor de comum acordo em oração. Tem o propósito de alcançar a raiz de qualquer problema que o casal esteja enfrentando, mas também pode ser usado na busca de um nível espiritual ainda maior que o casal deseje alcançar. Digamos, por exemplo, que a esposa recebeu uma oferta de emprego que exigirá muitas horas fora de casa, porém está totalmente alinhada com os dons, as habilidades e paixões que ela tem. E mais: o emprego serve para o avanço do reino de Deus e parece ter chegado a ela por meio dos planos designados pelo Senhor. Mesmo assim, a aceitação desse emprego afetará a dinâmica diária do lar. A oração é uma maneira de buscar a orientação e confirmação divina da escolha, mas a oração aliada ao jejum sexual aprofunda essa busca ainda mais. Cria uma atmosfera de urgência que abre as portas para que haja clareza e acordo.

O jejum sexual também pode ser usado quando o casal discorda ou entra em conflito e as duas partes desejam superar os problemas existentes, mas não veem uma forma tangível de fazer isso. Nos momentos em que o casal se distancia, a intimidade sexual pode não acontecer com regularidade. Mas o acordo de separar um período de jejum sexual com a intenção de orar juntos significa que o casal optou por uma abordagem proativa em direção à cura, em vez de apenas reagir ao conflito. Não se esqueça de que, após a passagem do tempo estabelecido no acordo, a Bíblia incentiva o casal a se unir novamente em intimidade sexual.

Boa parte do que gera conflito no casamento é mero sintoma de algo mais profundo. Embora você possa pensar que é a diferença de personalidades ou de valores, o âmago da batalha vem do jardim onde Satanás trouxe perturbação ao fazer cada uma das partes deixar seu papel e se rebelar. Quando os casais deixam de lidar com a raiz espiritual, ao mesmo tempo que se concentram apenas no fruto, preparam o cenário para uma tempestade cíclica.

> *Boa parte do que gera conflito no casamento é mero sintoma de algo mais profundo.*

O jejum sexual com a intenção de aprofundar a vida de oração como casal existe para chegar à agitação espiritual que está produzindo o confronto físico. Seu objetivo é resolver as causas subjacentes no reino espiritual que manifestam o conflito na esfera física. Tudo o que é físico está enraizado em algo espiritual. O problema em tantos casamentos é que os casais se concentram inteiramente nos sintomas físicos do problema, tentando microgerenciar um ao outro, em vez de lidar com o cerne e o âmago espiritual daquilo que causa o conflito.

Ao longo dos anos, tive a honra de servir como capelão dos Dallas Cowboys durante diferentes temporadas. Alguns dos destaques daquela época aconteceram nos anos em que Tom Landry integrou o time. Durante esse período, os Cowboys dominaram boa parte do futebol profissional e chegaram ao Super Bowl diversas vezes. Mas o que isso tem a ver com jejum sexual? Espere aí, já chego lá! Talvez você não saiba que, no decorrer de toda a semana que antecede o Super Bowl, os jogadores de ambos os times (casados ou não) precisam se abster de sexo.[1] Basicamente, eles jejuam de sexo. Por quê? Porque os técnicos já perceberam no passado que, quando os jogadores se envolvem no ato sexual perto do jogo, podem perder tanto a energia como o foco. Por essa e outras razões, todos os jogadores precisam respeitar não só o toque de recolher, como também a regra de ausência de visitantes ao longo da semana. Sabe-se de técnicos que entram furtivamente nos quartos dos jogadores com lanternas nas mãos a qualquer hora da noite para garantir que todos estejam cumprindo as regras.

Se um técnico da liga nacional de futebol americano consegue mais foco de seus jogadores na maior partida do ano quando eles se abstêm de sexo, imagino que Deus obtém um foco muito mais profundo em oração quando os cônjuges, em comum acordo, se abstêm de sexo por um período. Quando o Senhor escolhia visitar os israelitas com a proximidade de sua presença, instruía homens e mulheres a se absterem de relações sexuais. Queria o mais profundo vínculo e a maior atenção possível (Êx 19.9-15). Quando ele convocava seu povo para uma assembleia solene — um tempo

> *O jejum sexual demonstra para Deus que vocês estão pedindo para conhecê-lo em um nível mais profundo.*

sagrado de renovação espiritual com ele —, orientava o noivo e a noiva a deixarem seus aposentos, o que, em outras palavras, significa dar uma pausa no sexo (Jl 2.16).

Não importa se seu casamento está minguando em confusão, distanciamento ou conflito, ou se você e seu cônjuge estão buscando a bênção, o favor, a orientação ou a manifestação do Senhor em alguma área específica, o jejum sexual demonstra para Deus que vocês estão pedindo para conhecê-lo em um nível mais profundo.

Quando o casal realiza o ato sexual, descobre como é entrar em sintonia física um com o outro. Quando se envolvem no jejum sexual, em acordo mútuo, com o propósito de orar, descobrem como é entrar em sintonia com o outro de maneira muito mais profunda espiritualmente. Em consequência disso, uma maior experiência com Deus produzirá mais crescimento no relacionamento.

Em 1Pedro 3.7, somos lembrados de uma verdade preocupante: há mais que apenas dizer as orações para que elas sejam ouvidas e atendidas. Lemos:

> Da mesma forma, vocês, maridos, honrem sua esposa. Sejam compreensivos no convívio com ela, pois, ainda que seja mais frágil que vocês, ela é igualmente participante da dádiva de nova vida concedida por Deus. Tratem-na de maneira correta, para que nada atrapalhe suas orações.

Quando existe desunião no relacionamento, Deus fica de lado. Até mesmo no que diz respeito às suas orações.

Os princípios que estamos analisando neste livro andam de mãos dadas. Viver com o cônjuge em espírito de honra e união abre caminho para uma vida de oração mais eficaz.

A oração é uma arma poderosa no quarto de guerra do casamento, mas precisa ser empunhada com sabedoria, graça, humildade, honra um pelo outro, entendimento e — quando de comum acordo — jejum sexual.

9
Restauração

Uma das potestades contra a qual muitos casados lutam é a área do perdão. Chamo a falta de perdão de potestade simplesmente por causa do imenso número de cônjuges que já me procuraram dizendo que essa é uma área do casamento que não acham que conseguiriam vencer. Sempre que você olhar para uma situação que acredita ser irreversível muito embora Deus diga o contrário, está lidando com uma potestade. Não se pode usar a metodologia humana para vencer uma potestade. Somente as armas espirituais são capazes de derrotar potestades espirituais.

Sabemos, com base em nossa análise anterior do ataque de Satanás no jardim, que um ser espiritual, o diabo, iniciou a deterioração do primeiro casamento e da primeira família (Adão e Eva). Um anjo caído lançou caos ao primeiro lar, causando fraturas espirituais que levaram a fraturas relacionais. Não se esqueça de que não foi o relacionamento entre Adão e Eva que deteriorou primeiro, mas sim o relacionamento de ambos com Deus, o que se perpetuou no ambiente humano.

Assim como a interferência do anjo das trevas foi a raiz da quebra no primeiro casamento, Satanás e seu desejo de destruir o lar constituem a mesma causa fundamental para cada ruptura familiar. O perdão é um elemento crucial de um relacionamento saudável, porque quando você e eu vivemos em um estado de falta de perdão contra alguém, Deus diz que não estenderá seu perdão relacional a nós (Mt 6.15). Uma vez que o relacionamento espiritual com o Senhor é partido ou danificado por causa de um pecado persistente, limitamos a presença e o poder de Deus em nossa experiência de vida e em nosso casamento.

Existem diversos meios pelos quais Satanás recebe a oportunidade de colocar uma potestade dentro de seu lar. Uma delas é a raiva não resolvida. Em Efésios 4.26-27, lemos: "Irai-vos e não pequeis; não se ponha o sol sobre a vossa ira, nem deis lugar ao diabo" (RA). Paulo começou aqui explicando que é aceitável ficar bravo. Aliás, ele é bem claro ao dizer: "Irai-vos". Se seu cônjuge pecou contra você de alguma forma ou você pecou contra seu cônjuge, a parte prejudicada tem todo o direito de ficar irritada. Irar-se contra o pecado é válido. As Escrituras nos contam que o Senhor se ira com as pessoas todos os dias (Sl 7.11; Rm 1.18). Se alguém lhe fez mal, você tem o direito de ficar irado. Mas não é seu direito permitir que a ira continue sem solução, ou pecar em meio à ira.

O acúmulo prolongado da ira no casamento costuma dar a Satanás o controle para transformar um problema em potestade. A raiva não solucionada que recebe permissão para se acumular ao longo do tempo abre as portas para o conflito espiritual causar a ruína de seu lar.

Muitos, se não a maioria, dos problemas entre casais se originam da raiva não resolvida por algo feito no passado ou por um padrão recorrente de comportamento. A ira não resolvida se transforma em oportunidade para Satanás perturbar seu casamento.

Um dos piores hábitos ou padrões nos quais se pode cair dentro no casamento é a reação. Quando estiver em conflito, não reaja. Não deixe suas emoções reagirem por impulso.

Por exemplo, se você sabe que a discussão acabará em conflito, não importa sobre o que estiverem conversando ou o que estiverem fazendo, marque um horário específico no qual ambos terão condições de debater de maneira racional, passado o calor do momento. Se você sabe que determinada área ou assunto é especialmente sensível para o outro, crie espaço para permitir que essa sensibilidade seja amenizada antes de ir em busca de solução.

No entanto, não deixe seu cônjuge em dúvida se você conversará posteriormente sobre o conflito e a raiva que está sentindo. Pode não ser possível resolver a situação no mesmo dia, mas vocês podem marcar um horário no qual ambos tenham condições de se comunicar um com o outro em uma condição emocional saudável.

Há muitos casais que não só deixam o sol se pôr sobre sua ira, como também permitem que a lua vá embora antes que a raiva acabe. Assim, quando menos percebem, uma década inteira se passou no casamento. Alguns casais chegam a levar a raiva para a sepultura. Aliás, a ira não resolvida pode permanecer até depois da morte de um dos cônjuges. Conta-se a história de um homem que estava no Super Bowl com uma cadeira vazia a seu lado. Alguém sentado por perto lhe perguntou se ele fora ao jogo acompanhado. O homem respondeu:

— Bem, minha esposa costumava vir a todas as partidas comigo, mas ela morreu.

O outro perguntou se ele não tinha outros amigos para assistir à partida com ele, ao que o viúvo explicou:

— Não, todos estão no funeral.

> *Não deixe seu cônjuge em dúvida se você conversará posteriormente sobre o conflito e a raiva que está sentindo.*

Há diversos problemas com a raiva não resolvida — ou falta de perdão. Um deles é que as pessoas ao seu redor com frequência pagam pelo pecado do outro, sejam seus colegas de trabalho, seus filhos ou até mesmo seu cônjuge. Quando você vive nutrindo rancor, a amargura e o desprezo respingam em outros relacionamentos, talvez por meio de palavras rudes, antipatia ou de muitas outras maneiras.

Suponha que você está em um restaurante e o garçom lhe entrega uma conta de 15 mil reais — o total de consumo de todos os clientes do estabelecimento no dia. Você pagaria? É claro que não, pois você não deveria ter obrigação de pagar por aquilo que outras pessoas comeram. De igual modo, não é justo fazer as pessoas ao seu redor pagarem por aquilo que outro lhe fez. Às vezes, os cônjuges fazem um ao outro pagar por aquilo que seus pais lhes fizeram. Em outras ocasiões, os pais fazem os filhos ou amigos pagarem pelo modo como são tratados pelo cônjuge. A falta de perdão é uma ferida que, deixada sem controle, espalha infecção pelo corpo inteiro.

Todos sabemos o que acontece quando uma ferida não é tratada: ela apodrece e bactérias começam a crescer. Se você sofrer um corte no braço, mas não limpar ou cuidar do machucado, com o tempo começará a escorrer pus. As extremidades ficam vermelhas, e a ferida causa ardência ao ser tocada. Mais tempo se passa, e você nem conseguiria tocar o machucado, por causa da intensidade da dor. Logo bactérias chegariam à sua corrente sanguínea, e aquilo que começou como um corte se tornaria uma infecção bacteriana perigosa, ameaçando sua vida.

Mesmo que você cubra a ferida a fim de que ninguém consiga ver o pus escorrendo e dê continuidade à sua rotina, as pessoas ao seu redor sem dúvida perceberiam sua reação se encostassem, ainda que de leve, ao passar por você. Se alguém esbarrasse em sua ferida aberta, você recolheria o braço com dor e talvez até desse uma bronca na pessoa. Sua reação não refletiria o que ela fez, pois não passou de um acidente. Mas o outro seria alvo de toda a sua ira simplesmente porque você não tratou sua ferida a fim de permitir que ela fosse curada. Aliás, se você continuasse andando com uma ferida aberta, ficaria extremamente sensível e reativo a qualquer coisa que entrasse em contato com ela.

A falta de perdão é como uma ferida não tratada na alma. Esquenta com o calor da amargura e desencadeia um ciclo no qual pequenas desavenças conjugais se transformam em grandes guerras (Mt 18.23-24). Quando as feridas do coração são deixadas sem tratamento, elas apodrecem, provocando dor residual em outras áreas de nossa vida. Em consequência disso, ficamos extremamente sensíveis e reativos às ações, às palavras e até mesmo à apatia de nosso cônjuge. O menor toque ou ofensa da parte do outro, mesmo quando ele não tinha nenhuma intenção de magoar, provoca uma reação dura. Ficamos propensos a brigar, acusar, culpar, chorar ou dizer e fazer coisas que nos causarão arrependimento depois. Enquanto isso, o cônjuge é pego desprevenido por nossa reação. A fim de vencer a falta de perdão, necessitamos tratar nossas feridas e permitir que elas sejam curadas.

Quando as feridas do coração são deixadas sem tratamento, elas apodrecem, provocando dor residual em outras áreas de nossa vida.

Liberar e substituir

É bem mais fácil falar em perdoar alguém do que perdoar de fato. O perdão é uma palavra bela quando é você quem o recebe. Mas se torna feia quando é você que necessita estendê-lo. Uma das melhores analogias que já encontrei para o perdão é compará-lo a tirar um CD, DVD ou um disco de Blu-ray do aparelho. Essas são máquinas extraordinárias que nos dão a possibilidade de ver ou ouvir algo quantas vezes quisermos. Mas existe uma verdade: só é possível colocar um novo disco depois de tirar o primeiro. É impossível tocar dois CDs ao mesmo tempo. É preciso ejetar o primeiro para tocar o segundo.

De igual modo, no casamento você não pode ter um relacionamento saudável e bem-sucedido com o cônjuge se continuar a relembrar tudo o que ele fez para o deixar irado. É preciso ejetar essa ofensa e substituir por amor. A única maneira de fazer isso é liberar seu cônjuge daquilo que ele fez para o ferir. É necessário entregar essa ofensa a Deus e substituir seus pensamentos de raiva, mágoa e dor por sentimentos de gratidão — porque o Senhor lhe deu a fé e a capacidade de ser liberto da potestade da falta de perdão.

O perdão bíblico é a decisão de não imputar mais uma ofensa a seu cônjuge com o objetivo de fazer vingança. Significa que você libera seu cônjuge da dívida que ele tem com você, bem como da culpa que ele talvez mereça. O perdão é, antes de mais nada, uma decisão. Não começa com uma emoção. Não depende de como você se sente acerca de seu cônjuge. Em vez disso, é a escolha de não mais culpar seu cônjuge por uma ofensa.

Em 1Coríntios 13.5, o apóstolo Paulo nos detalha isso de maneira mais direta: o amor bíblico "não guarda rancor" (NVI). O amor bíblico não justifica o mal, não o ignora, não dá desculpas para ele, nem finge que não existe. Todos esses tipos de respostas para a prática do mal levariam à conivência. Em vez disso, o amor bíblico reconhece e resolve o mal, então perdoa e libera a pessoa, sem guardar rancor. Já estive em sessões de aconselhamento com casais que trazem à tona questões que um disse ou fez não anos, mas décadas atrás. Quando ouço isso — o que, infelizmente, acontece com frequência — suspiro por dentro, pois sei que a raiz da amargura e da falta de perdão é profunda. Também sei que Satanás recebeu permissão para comandar o casamento, transformando a potestade em uma força ainda mais difícil de derrubar.

Talvez você se surpreenda com o conselho que dou quando a potestade está assim tão enraizada. Já vi funcionar em diversos casamentos, e creio na eficácia do método porque resolve o problema da raiva não curada que, com frequência, alimenta nossa falha em perdoar. Muitas vezes, o que acontece nos relacionamentos conjugais anuviados pela raiva não resolvida é que as brigas se tornam tão tóxicas e instáveis no vocabulário e no tom que não produzem bem algum. Na verdade, apenas aprofundam o abismo da divisão dentro do casamento. Segue-se então o que eu proponho caso você tenha descoberto que se encontra em um matrimônio com raiva não resolvida:

As brigas se tornam tão tóxicas e instáveis no vocabulário e no tom que não produzem bem algum. Na verdade, apenas aprofundam o abismo da divisão dentro do casamento.

1. *Diga e faça algo todos os dias que expresse valor a seu cônjuge.* Pode ser um bilhete, um telefonema inesperado, um abraço sem intenções sexuais ou um tempo de aconchego. Os casados são ótimos em fazer grandes gestos em dias importantes como aniversário do cônjuge, aniversário de casamento ou Dia dos Namorados, mas com frequência nos esquecemos de cultivar e manter com

gestos pequenos, porém constantes, o reconhecimento de que valorizamos um ao outro.
2. *Ore todos os dias um pelo outro e um com o outro.* Não estou falando em simplesmente pedir a bênção antes da refeição. Trata-se de um momento especial em que vocês se juntam, dão as mãos ou se abraçam, ajoelham-se ao lado da cama ou no *closet*, ou mesmo sentados no sofá — não importa — e oram em voz alta pelo casamento. Não é a hora de expor diferenças mencionando-as perante o Senhor em oração; é a oportunidade de pedir a Deus que abençoe seu cônjuge e abençoe os dois juntos, com sua graça e misericórdia.
3. *Saiam juntos com regularidade.* Muitos casamentos são tragados pela lida ou pela rotina, e os cônjuges deixam de se divertir como antes. Quando falo em "saídas", refiro-me a escolher um lugar e algo divertido para fazer. Não significa ir jantar em um restaurante porque nenhum dos dois quer cozinhar, mas ambos precisam comer de qualquer jeito. Façam algo divertido juntos, no mínimo a cada quinze dias, se não com mais frequência.
4. *Combinem um momento na semana para se sentarem juntos e permitirem que o cônjuge com a raiva não resolvida desabafe.* Isso significa que o outro cônjuge concorda em não argumentar, se defender ou interromper o desabafo. É como quando estamos mal do estômago por causa de alguma bactéria dentro de nós e nos sentimos melhor quando conseguimos vomitar.

Muitos casais jamais dão liberdade um ao outro de desabafar, a fim de livrar-se da bactéria. Não estou dizendo que os casais não gritam um com o outro — eles fazem isso o tempo inteiro. Trata-se, porém, de um momento definido toda semana no qual o cônjuge tem permissão de desabafar seu sofrimento sem medo de ser reprimido. Desligue a televisão e o celular. O outro cônjuge deve concordar em dar atenção total àquele que está desabafando. Se a reclamação é um problema em seu casamento, isso ajudará a resolver. Porque, quando vocês concordam em se ouvir, o cônjuge que desabafa também concorda em não trazer essas questões à tona durante a semana — a menos que seja algo urgente.

Já lancei mão dessa abordagem em quatro passos com inúmeros casais, e não muito depois uma hora por semana se transforma em trinta minutos e depois quinze — e então deixa de ser necessária.

Nós, homens, com muita frequência queremos saber o que a esposa fez para atender às nossas necessidades a cada dia, em vez de investigar o que nós fizemos para atender às necessidades dela.

Boa parte do que guardamos como rancor no casamento é armazenada para ser jogada contra o outro em reclamações ou brigas nas quais não nos sentimos ouvidos ou validados. A cura vem de uma postura compreensiva de escuta e validação. Quando você dá liberdade a seu cônjuge para expressar o que lhe causa sofrimento e então valida essa dor, sem entrar na defensiva ou dizer que é errado o outro sentir isso, ficará surpreso diante da rapidez com que virão o perdão e a cura.

Quando os quatro passos são implementados ao mesmo tempo, você vê e experimenta cura em seu casamento. Fazer essas coisas com autenticidade, em conexão relacional, permite que você comece a realizar mais depósitos em seu cônjuge do que saques. Há muitos cônjuges que tentam fazer mais saques no relacionamento do que depósitos. Os homens, em particular, têm a propensão de chegar em casa cansados depois do trabalho e procurar o que a esposa fez por eles — jantar, casa, filhos, mesmo se ela também trabalha em tempo integral. Nós, homens, com muita frequência queremos saber o que a esposa fez para atender às nossas necessidades a cada dia, em vez de investigar o que nós fizemos para atender às necessidades dela. Em consequência disso, as esposas precisam fazer saques constantes de sua conta de amor e, assim, ficam vazias.

Se isso descreve sua situação, marido, então não se chateie se não houver nada no banco à noite. Ambos os cônjuges necessitam fazer mais depósitos do que saques no relacionamento. Ao acordar pela manhã e sair para começar o dia, pergunte-se o que você pode fazer para efetuar um depósito na vida de seu cônjuge. Não precisa ser nada grandioso, mas necessita ser constante. A vida tem sua maneira de ditar os saques — eles acontecem, quer você os busque ou não. Então o que você precisa fazer, como cônjuge, é procurar maneiras de fazer depósitos. Caso contrário, a conta de seu cônjuge entrará no vermelho e, quando chegar a hora de estender perdão, vocês não terão a profundidade emocional e a harmonia necessária no relacionamento para concedê-lo com facilidade. O amor precisa ser proativo para ser contínuo.

Conta-se a história de um casal que brigava tanto que estava prestes a dar entrada no pedido de divórcio. Um conselheiro lhes disse que eles poderiam encontrar um *hobby* em comum para salvar o casamento. O casal achou que valia a pena tentar, então escolheram caçar patos. Sabiam que precisariam de um bom cão para os acompanhar na caçada. Por isso, o casal gastou tempo e dinheiro procurando o melhor cão caçador que conseguiram encontrar.

Finalmente, chegou o dia em que sairiam juntos para caçar patos. Ficaram à margem da água o dia inteiro. Decepcionados, não conseguiram pegar pato nenhum. Frustrados e exaustos ao fim de um longo dia, o marido disse:

— Com certeza nós fizemos alguma coisa errada. Não chegamos nem perto de acertar um pato.

Ao que a esposa respondeu:

— Bem, jogue o cachorro mais alto. Ele não tem tamanho suficiente para conseguir pegar o pato!

É isso que muitos casais fazem. Tentam colocar um cachorro para fazer o papel de uma arma e então ficam se perguntando o tempo inteiro porque não estão conseguindo pato nenhum. O motivo é que o cão não é a arma certa. Ele é apenas um auxiliar. É bom ter um cachorro quando se sai para caçar patos, mas o cão sozinho não captura o animal. Você precisa de poder de fogo para alvejar o pato, e só então o cachorro é capaz de cumprir sua tarefa.

Os problemas no casamento têm âmago espiritual. Por isso, as soluções para superá-los também precisam ser espirituais.

Vou dizer mais uma vez: os problemas no casamento têm âmago espiritual. Por isso, as soluções para superá-los também precisam ser espirituais. Vocês podem tirar férias e, quem sabe, seu casamento melhore um pouco. Podem comprar uma nova aliança e, quem sabe, seu casamento melhore um pouco. Podem comprar uma casa nova e desfrutar alguns instantes de paz. Mas nada disso durará, pois não se baseia no reino espiritual. Somente quando vocês sujeitam seus conflitos à oração, à comunicação sadia, à humildade e ao perdão é que experimentarão o poder de vencer as potestades em seu casamento.

Mas e se meu cônjuge não pedir desculpas?

E o que dizer daqueles momentos em que seu cônjuge não está arrependido? Como perdoá-lo? Infelizmente, essa também é uma realidade em muitos casamentos. Por isso quero abordar brevemente a importância do perdão unilateral no casamento. O perdão unilateral acontece quando você escolhe perdoar seu cônjuge mesmo sem ele pedir e até mesmo sem que tenha se arrependido. Basicamente, você concede perdão a seu cônjuge por conta própria — de maneira unilateral — sem o envolvimento da outra parte.

Por que perdoar alguém que não quer, não pediu e, sem dúvida, não merece? O motivo que o leva a conceder perdão unilateral não é liberar *seu cônjuge* para seguir em frente, mas liberar *a si mesmo*. É para que você siga em frente. O perdão unilateral o impede de ficar preso a algo que o outro talvez nunca acerte. Foi isso que Deus fez na cruz, "não levando mais em conta os pecados das pessoas" (2Co 5.19). O perdão unilateral também libera Deus para lidar diretamente com seu cônjuge acerca da ofensa.

Se você acompanha algum esporte, sabe que, quando um jogador faz uma falta em outro, como no basquete, o juiz marca a infração. Em consequência disso, o jogador que recebeu a falta pode fazer arremessos livres ou voltar a bola para o jogo. Contudo, se o jogador que recebeu a falta decide atacar de volta aquele que fez a falta, os dois sofrem infração e o jogador atingido primeiro também é penalizado. O perdão unilateral

> *O motivo que o leva a conceder perdão unilateral não é liberar seu cônjuge para seguir em frente, mas liberar a si mesmo.*

no casamento libera Deus para trabalhar no cônjuge, a fim de corrigi-lo ou levá-lo ao arrependimento. Quando você interrompe o caminho por sua falta de perdão, está atraindo a atenção divina de volta para si, e agora ele precisa reagir ao seu pecado também.

Quando você não está disposto a perdoar, é você que é mantido refém, não a outra pessoa. Não é possível controlar o que lhe acontece; só é possível controlar sua reação, e é nisso que você precisa se concentrar. Lembro-me de uma vez em que precisei estender perdão unilateral. Foi uma coisa pequena no grande esquema da vida, mas, para mim, o desafio foi real. Envolveu um acidente no qual o condutor do outro veículo bateu no meu carro e foi embora sem deixar suas informações de seguro. Ele não pediu desculpas nem parou para ver se eu estava bem ou se precisava de ajuda. Só amassou meu veículo e saiu correndo.

O perdão é crucial para qualquer casamento prosperar. Mas se o perdão for condicional, ele não é revestido pelo amor de Deus.

Nos dias e semanas que se passaram, cada vez que olhava para meu carro estragado eu me sentia frustrado, irritado e várias outras emoções não santificadas. Não era minha culpa que o outro condutor tinha batido em meu carro. Mas, quanto mais eu adiava o conserto do carro só por achar que não era minha culpa nem minha responsabilidade pagar pelo dano, mais demorava para minha ferida sarar. Eu mesmo precisava consertar o dano a fim de colocar a liberdade em ação. Precisei estender perdão unilateral, ou permaneceria refém do que outra pessoa havia me feito. O perdão unilateral não só libera o outro, como também nos dá liberdade.

O perdão é crucial para qualquer casamento prosperar. Mas se o perdão for condicional, ele não é revestido pelo amor de Deus. Jesus Cristo morreu por nossos pecados e pediu a seu Pai que nos perdoasse enquanto ele próprio o fazia. Ele não queria esperar para nos estender o dom da misericórdia e da graça até que fizéssemos nossa parte ou nos aproximássemos dele humildemente com flores ou chocolates. É provável que o perdão seja o maior presente que você pode dar a seu cônjuge, mas também é o maior presente que você pode dar a si mesmo. O perdão abre seu casamento para que o favor divino flua em sua direção e por meio de você até seu cônjuge.

10
Recursos

Uma das maiores contribuições para a saúde financeira de um casamento é o contentamento. Aliás, o apóstolo Paulo chama essa virtude de "segredo". A ausência de contentamento já levou ao fracasso uma grande quantidade de casamentos. Boa parte desse problema surge do desejo de viver acima do orçamento disponível, o que resulta em dívidas e, consequentemente, em uma pressão financeira ao relacionamento. Outro aspecto é a dependência de duas rendas. Sem negar o valor da esposa e suas contribuições ao mercado de trabalho, precisamos ter em mente que há tempo para tudo. Há momentos em que ter duas rendas não ajuda na constituição e dinâmica do lar. Mas há outras ocasiões em que isso contribui com a devolução da saúde e harmonia familiar. Quando o casal não dá a si mesmo a opção de viver com apenas um salário ou, quem sabe, combinar um salário com um trabalho em meio período, ambos se colocam sob o estresse de atender a demandas excessivas.

A ausência de contentamento já levou ao fracasso uma grande quantidade de casamentos.

A dupla pressão de impressionar — comprando coisas de que não necessitamos, com dinheiro que não temos, para impressionar pessoas que não conhecemos — e a busca do crescimento na carreira em detrimento da intimidade nos mantêm num estado de descontentamento e facilita o estresse e conflitos conjugais.

Dentro ou fora do casamento, encontramos hoje pouquíssimas pessoas que realmente se contentam com o que têm. A publicidade em nossa cultura sempre ostenta um novo produto à nossa frente, para nos levar a ser mais, gastar mais e fazer mais. Com a tecnologia na ponta dos dedos, temos maior oportunidade de gastar, gastar e gastar como nunca. Com apenas um clique, aquilo que pesquisamos na tela do computador pode chegar à nossa porta no dia seguinte. É difícil permanecer contente quando nos dizem o tempo inteiro que precisamos de mais para ser felizes, saudáveis ou belos. Parece que não conseguimos comprar o suficiente para fazer nossos filhos felizes, e Deus também não parece dar o suficiente para fazer os filhos dele felizes.

Contudo, a falta de contentamento não é algo novo. Tenho certeza de que também não era fácil ter contentamento nos tempos bíblicos. Minha certeza provém do fato de que Paulo chama o contentamento de "segredo". Ao descrever a arte de estar satisfeito, ele usa uma palavra que significa literalmente que poucas pessoas sabiam sobre isso. Veja o que Paulo tinha a dizer em sua carta à igreja de Filipos: "Sei viver na necessidade e também na fartura. Aprendi o segredo de viver em qualquer situação, de estômago cheio ou vazio, com pouco ou muito" (Fp 4.12).

As palavras de Paulo se parecem de várias maneiras com nossos votos contemporâneos de casamento: "na riqueza ou na pobreza, na saúde ou na doença". Quando duas pessoas se casam, estão basicamente prometendo se contentar um com o outro, o que quer que venham a enfrentar.

No entanto, não é isso que acontece. Quando começam as dificuldades financeiras, o contentamento costuma ser a primeira coisa jogada pela janela das expectativas não atendidas. Assim como os termômetros, os casamentos sobem e descem com base na temperatura da conta bancária. Mas não é a isso que Paulo estava se referindo quando disse que conhecia o segredo do contentamento. Ele se referia ao verdadeiro sentido da expressão "ser contido". Contentamento quer dizer ter os recursos disponíveis para enfrentar qualquer situação que se coloque à nossa frente. Em outras palavras, temos o suficiente para o que necessitamos a qualquer momento, seja pouco ou muito.

Como saber quando você está contente? Você sabe quando fica tranquilo a despeito do que esteja acontecendo ao seu redor. Contentamento significa permanecer à vontade, grato e satisfeito em qualquer situação na qual você se encontre. Sempre é possível saber qual é o nível de contentamento de uma pessoa ao observar se ela reclama mais ou agradece mais. Caso as queixas estejam no controle, não há contentamento. Se a gratidão for a presença dominante, o contentamento é detectado.

Mais dinheiro não se traduz automaticamente em contentamento. Um dos períodos mais felizes do casamento para muitos corresponde à época em que os dois começaram a vida juntos sem um centavo no bolso, mas com a certeza de que seu amor seria capaz de conquistar o mundo. Duas décadas depois, o apartamento virou uma casa, dois automóveis do ano substituíram o carro usado e a viagem para a casa dos parentes se transformou em férias na praia. Mas o mesmo casal agora briga e se desentende por causa de

> *Contentamento significa permanecer à vontade, grato e satisfeito em qualquer situação na qual você se encontre.*

dinheiro, pois a falta de contentamento ganhou espaço. Sempre existe uma casa maior para comprar, um carro mais novo para dirigir, roupas mais bonitas para comprar e lugares melhores para ir. Parece que, quanto mais as pessoas são expostas àquilo que é possível fazer, mais querem fazer, comprar ou ser.

O segredo de Paulo pode salvar muitos casamentos caso seja aprendido e colocado em prática. A vida tem altos e baixos. Às vezes vocês estão bem financeiramente, e às vezes as coisas ficam apertadas. O casal em um casamento do reino permite que o segredo de Paulo governe sua mente e seu coração. Valoriza o que é mais importante na vida: o relacionamento com Deus e um com o outro.

Princípios de mordomia no casamento

Uma série de casais que aconselhei me contou que os dois têm contas bancárias separadas. A mulher guarda o próprio dinheiro em uma conta e o marido, em outra. E embora não seja uma problema distribuir os recursos, pode haver uma incompreensão em relação a quem é o verdadeiro dono dos recursos. Afinal, "a terra e tudo que nela há são do SENHOR" (Sl 24.1). A aceitação dessa realidade acerca de nossos recursos é capaz não só de aliviar boa parte dos conflitos conjugais por causa das finanças, mas também de transformar uma área difícil do relacionamento em um aspecto vibrante.

Uma vez que as questões financeiras continuam a figurar em primeiro lugar como a principal causa para a discórdia no casamento nos Estados Unidos hoje e, com frequência, um dos principais motivos para o divórcio, gostaria de abordar como cultivar uma perspectiva do reino em nossos recursos.

Aprenderemos o que verdadeiramente significa viver como casais fiéis que cuidam dos recursos para o Senhor.

Em um discurso de 1863, convocando a nação para um dia nacional de jejum e oração, Abraham Lincoln disse:

> Fomos recebedores das bênçãos mais selecionadas do céu. Temos sido preservados, ao longo de tantos anos, em paz e prosperidade. Crescemos em número, riqueza e poder como nenhuma outra nação. Mas nos esquecemos de Deus. Esquecemos a graciosa mão que nos preservou em paz, que nos multiplicou, enriqueceu e fortaleceu; e imaginamos em vão, no engano de nosso coração, que todas essas bênçãos foram produzidas pela sabedoria superior e virtude da nossa pessoa. Inebriados com o sucesso ininterrupto, tornamo-nos autossuficientes demais para sentir a necessidade de redimir e preservar a graça, orgulhosos demais para orar ao Deus que nos criou![1]

Se essas palavras já eram verdadeiras nos dias de Abraham Lincoln — e de fato eram —, quanto mais hoje! Vivemos em uma época de prosperidade sem precedentes. Tanto na esfera individual quanto familiar, temos recebido muito de Deus! Poucos de nós carecem de qualquer recurso necessário para a vida e a liberdade, e muitos são privilegiados de ter as bênçãos monetárias que nos oferecem coisas como a liberdade de escolher posses, viagens e muito mais. Em grande escala, Deus tem provido para nossas necessidades e além, por meio de sua graça ilimitada.

Vivemos em uma época de prosperidade sem precedentes.

Além disso tudo, ele também sustenta o universo e nos dá o dom da vida a cada manhã. Ele nos cerca de amigos e familiares, prometendo-nos vida eterna por intermédio de seu Filho. Com frequência, porém, nós nos esquecemos de seus presentes e achamos que somos o centro da vida. Desperdiçamos o tempo, os talentos e os tesouros que ele nos deu e os investimos em objetivos egoístas, reivindicando-os para uso pessoal. Esquecemo-nos de que os recursos que o Senhor nos confiou para usar como casais pertencem ao reino dele e devem ser empregados para avançar a agenda do reino divino na terra.

E se nós, casais, vivêssemos como pessoas que de fato reconhecem que Deus é o dono de tudo (Sl 24.1) e que nossa tarefa é meramente administrar e investir em seus recursos para os propósitos divinos? Como isso pode mudar nossa mentalidade em relação às nossas contas, ao que compramos, aonde comemos e ao que fazemos? Como podemos usar nosso tempo de maneira diferente? E quanta alegria e liberdade experimentaremos se lembrarmos que nosso legado na vida e nossa recompensa na eternidade dependem não só de nossa conta bancária, mas também das vidas que Deus toca por meio de nós?

Na parábola narrada em Lucas 19.11-27, Jesus é o nobre que sai de sua terra para receber seu reino.

> Um nobre foi chamado a um país distante para ser coroado rei e depois voltar. Antes de partir, reuniu dez de seus servos e deu a cada um deles dez moedas de prata, dizendo: "Invistam esse dinheiro enquanto eu estiver fora".
>
> Lucas 19.12-13

A parábola prossegue, debatendo o que cada indivíduo fez com o dinheiro e como o nobre reagiu a cada um. Trazendo essa realidade para Cristo na era atual, sabemos que, depois de morrer na cruz e ressuscitar dos mortos, Jesus subiu ao céu, onde aguarda o momento designado para voltar e estabelecer seu reino na terra. Enquanto isso, ele nos confiou alguns de seus recursos para que administremos até que ele volte. Devemos investir enquanto ele estiver fora.

A primeira lição de qualquer negócio é entender quem é o dono dos bens. Em Salmos 50.10-12, Deus nos lembra:

> Pois são meus todos os animais dos bosques,
>   e sou dono do gado nos milhares de colinas.
> Conheço cada pássaro dos montes,
>   e todos os animais dos campos me pertencem.
> Se eu tivesse fome, não lhes diria,
>   pois meu é o mundo inteiro e tudo que nele há.

Em outras palavras, Deus é o dono de tudo. O Criador possui tudo na criação, inclusive cada bem material que você tem, cada centavo em sua conta bancária e tudo o que você vier a comprar. Ele escolheu a nós, seres humanos, para sermos mordomos ou administradores de seus recursos. Os recursos não são meus, nem seus. Logo, não podem ser apenas do marido ou da mulher. Deus é o dono de tudo. Quando de fato reconhecemos essa realidade, podemos abrir mão do controle sobre todas as "coisas" em nossa vida e aumentar a generosidade em relação a Deus e aos outros. Podemos diminuir a atitude possessiva e o sentimento de merecimento dentro do relacionamento conjugal. Isso muda a mentalidade de "eu contra você" para "nós debaixo de Deus".

A primeira lição de qualquer negócio é entender quem é o dono dos bens.

A questão da mordomia é esclarecida de forma reveladora em Apocalipse 4.11: "Tu és digno, ó Senhor e nosso Deus, de receber glória, honra e poder. Pois criaste todas as coisas, e elas existem porque as criaste segundo a tua vontade". Todas as coisas existem para a vontade de Deus: nosso tempo, nossos talentos, nossos tesouros. Nós existimos para ele. Por isso, quando sentir um cabo de guerra entre você e seu cônjuge em relação a como os recursos são gastos, saiba que vocês estão ignorando o verdadeiro cabo de guerra que deveria acontecer entre vocês e o Senhor. Ele é o dono de tudo o que você afirma ser seu, por isso a perspectiva dele em relação a como usar o dinheiro deve ser a mais sábia para adquirir e aplicar dentro do casamento. Afinal, quando você e eu nos formos um dia, o que acontecerá com todas as coisas que tentamos acumular com tanto afinco? Jó disse: "Saí nu do ventre de minha mãe, e estarei nu quando partir. O Senhor me deu o que eu tinha, e o Senhor o tomou. Louvado seja o nome do Senhor!" (Jó 1.21).

Tiago nos lembra de que, embora dediquemos bastante tempo fazendo planos, produzindo crescimento e trabalhando, Deus tem a palavra final em relação a tudo o que fazemos:

> Prestem atenção, vocês que dizem: "Hoje ou amanhã iremos a determinada cidade e ficaremos lá um ano. Negociaremos ali e teremos lucro". Como sabem o que será de sua vida amanhã? A vida é como a névoa ao amanhecer: aparece por um pouco e logo se dissipa. O que devem dizer é: "Se o Senhor quiser, viveremos e faremos isso ou aquilo".
>
> Tiago 4.13-15

Você controla seu destino? Você controla sua renda? A resposta correta a essas perguntas o levará a ser um mordomo melhor de tudo o que Deus concedeu a você e a seu cônjuge. A prosperidade só vem pela graça divina, pois a própria vida é um presente. Portanto, honre a Deus com aquilo que lhe foi dado.

Em Isaías 14, recebemos um lembrete sombrio do que pode acontecer quando escolhemos não honrar a Deus com o que recebemos e, em vez disso, buscamos uma provisão de propriedade compartilhada. O Senhor é o Criador e Mantenedor de todas as coisas. Quando Satanás tentou se fazer semelhante a Deus, o Senhor o colocou em seu devido lugar, expulsando-o do céu e sentenciando-o ao castigo eterno. O orgulho motivou o desejo de Satanás de usurpar o poder e a posse. O orgulho também motiva nosso desejo de reivindicar propriedade sobre os presentes que Deus nos dá, em vez de agirmos como mordomos fiéis, responsáveis e generosos.

O orgulho motivou o desejo de Satanás de usurpar o poder e a posse.

A responsabilidade do mordomo

Deus nos concedeu generosamente tudo de que necessitamos para viver. Ele nos abençoou com recursos, tempo, talentos e habilidades, e espera que cuidemos bem de seus presentes. O Senhor tem a expectativa de que seus mordomos fiéis invistam os dons em propósitos referentes ao reino eterno. Na parábola dos mordomos, em Lucas 19, Jesus fala sobre um nobre que deu a cada um de seus servos uma quantia de dinheiro, ordenando que investissem até que ele voltasse (v. 13). Para investir os recursos de Deus visando agradá-lo e fazer seu reino avançar, precisamos usar de maneira prática o tempo, os talentos e os tesouros que ele nos concedeu para sua glória.

Em Mateus 25, Jesus conta uma parábola bem semelhante à de Lucas 19, mas com ênfase diferente. Um homem que saiu em viagem deu números diferentes de talentos, ou dinheiro, para seus três servos (v. 14-30). O detalhe é que o homem distribuiu uma quantidade distinta para cada servo, *de acordo com suas diferentes habilidades*, a fim de que investissem e multiplicassem os talentos. Embora Deus conceda a todos em profusão de seus recursos e espere que todos administremos e multipliquemos os dons que ele nos deu, não nos dá a todos a mesma quantia de dinheiro, tempo, energia ou habilidades. Mas, assim como o homem que saiu em viagem julgou a mordomia de seus servos ao voltar, também Jesus nos fará prestar contas de nossa mordomia quando ele retornar.

Avaliação da mordomia

Agora que examinamos a mordomia bíblica, vejamos como Deus determinará se administramos bem seus recursos. Como o Senhor avaliará os investimentos que fizemos com os bens dele?

Em 1Coríntios 3.10-15, Paulo comparou a mordomia a construir um prédio. O construtor sábio toma cuidado para lançar um alicerce forte e construir com materiais confiáveis. De igual modo, o mordomo fiel usa o tempo, os talentos e os tesouros que Deus lhe concedeu para investir na eternidade e acumular os verdadeiros tesouros de ouro celestial, em vez de gastar os recursos dados pelo Senhor em um estilo de vida extravagante na terra. Tudo o que construirmos na terra será consumido, mas os tesouros eternos que investirmos suportarão a prova de fogo descrita nessa passagem das Escrituras.

Você dedica seus melhores esforços para o Senhor e seu reino no que diz respeito ao uso dos recursos divinos para propósitos eternos? Ou gasta toda a sua energia para pagar as contas ou aumentar o padrão de vida?

O que motiva sua mordomia? Você deve administrar os recursos que Deus lhe concedeu por gratidão pela generosa graça e provisão divina, bem como por reverência, crendo que o Senhor é santo e o fará prestar contas pela maneira como você administrou os dons que ele lhe deu. Hebreus 12.28 nos diz: "Uma vez que recebemos um reino inabalável, sejamos gratos e agrademos a Deus adorando-o com reverência e santo temor". A gratidão deve servir como motivação para sermos bons mordomos daquilo que o Senhor nos deu, de tal modo que agrade a ele.

Você deve administrar os recursos que Deus lhe concedeu por gratidão pela generosa graça e provisão divina.

As recompensas da mordomia

Deus não só nos dá seus recursos com generosidade, como também nos recompensa quando cuidamos desses recursos. Contudo, ele nos responsabilizará se formos preguiçosos. Analisemos como Deus reagiu aos bons mordomos e ao mau, retomando a parábola mencionada anteriormente neste capítulo, com destaque para o servo fiel (Lc 19.16-17).

Quando o mestre retornou da viagem, chamou os três mordomos e pediu que trouxessem o dinheiro que haviam ganhado. O primeiro mordomo, que havia recebido dez moedas de prata, conseguiu outras dez. Em retorno, o senhor recompensou o bom mordomo, reconheceu publicamente sua realização e lhe deu dez cidades para governar. De maneira semelhante, quando Jesus voltar e julgar como administramos seus recursos, ele recompensará e reconhecerá em público seus bons mordomos e nos dará a quantidade apropriada de autoridade em seu reino.

Nos versículos 18-19, lemos que o segundo mordomo se apresentou e entregou mais cinco moedas de prata para seu senhor, que lhe deu autoridade sobre cinco cidades. No entanto, o segundo mordomo não recebeu o mesmo reconhecimento público — "Você é um bom servo!" — que o primeiro.

Por fim, nos versículos 20-24, quando o terceiro mordomo traz de volta as mesmas moedas que o mestre havia lhe dado, sem nenhum centavo a mais, é julgado com severidade. O servo inútil era preguiçoso, medroso e egoísta. Ele temia que, se perdesse as moedas de seu senhor, seria julgado.

Além disso, o servo inútil só se preocupava consigo e com os próprios interesses. É bem provável que tenha gastado o tempo investindo nos próprios recursos para obter ganhos pessoais, pouco se importando com os interesses de seu senhor. Em consequência disso, o mestre o puniu com severidade, retirando-lhe as moedas para entregá-las ao mordomo fiel que já tinha dez moedas.

Como então nós, mordomos fiéis e responsáveis, devemos reagir ao Senhor com

Devemos orar pedindo a ajuda do Espírito Santo para cultivar uma atitude de gratidão e expectativa pelo retorno do Senhor.

aquilo que ele nos confiou em nossa vida conjugal? Primeiro, devemos nos lembrar das palavras de Hebreus 12.28-29 e colocá-las em prática: "Uma vez que recebemos um reino inabalável, sejamos gratos e agrademos a Deus adorando-o com reverência e santo temor. Porque nosso Deus é um fogo consumidor".

Em segundo lugar, devemos orar pedindo a ajuda do Espírito Santo para cultivar uma atitude de gratidão e expectativa pelo retorno do Senhor. Também devemos clamar e procurar ativamente por oportunidades de usar o tempo, os talentos e os tesouros que Deus nos deu para o seu reino.

Por fim, dediquemo-nos a memorizar 1Coríntios 15.58 e meditar nestas palavras: "Sejam fortes e firmes. Trabalhem sempre para o Senhor com entusiasmo, pois vocês sabem que nada do que fazem para o Senhor é inútil".

Um dia, quando a mortalidade bater à nossa porta, nosso tempo para investir no reino de Deus terminará. Usemos então o hoje para aproveitar ao máximo os recursos generosos que o Senhor nos emprestou a fim de expandir seu reino e tornar sua glória conhecida para o maior número possível de pessoas.

Dar. Poupar. Gastar.

Não é segredo para ninguém que muitos casamentos estão afundados num mar de dívidas. Dever se transformou em um estilo de vida. É o mais novo vício. Em vez de viver planejando o futuro, acabamos pagando o passado. O voto tradicional de casamento inclui a promessa de amar e cuidar "até que a morte nos separe". Entretanto, temos descoberto hoje que, apesar de nossas conquistas no sucesso material, muitos casais só conseguem ficar juntos até que as dívidas os separem.

O uso indevido, a apropriação incorreta ou a ausência de prioridades adequadas dos recursos da família tem levado à destruição relacional em vários aspectos. As Escrituras nos dizem que não é bom que nós, que tememos a Deus, vivamos com dívidas. Provérbios 22.7 ensina: "Quem toma emprestado se torna servo de quem empresta". Na verdade, Deus está nos dizendo no Evangelho de Lucas que se os homens e as mulheres não forem capazes de lidar de maneira apropriada com o dinheiro que Deus lhes dá, deixarão de receber outras bênçãos do Senhor também (16.10-11).

As dívidas não dizem respeito somente a dinheiro. Não quero que você perca isso de vista, pois a maioria de nós acha que dívida *só* está ligada a dinheiro. Na verdade, as dívidas falam de sua conexão espiritual com Deus. Para que você e seu cônjuge maximizem tudo o que Deus os criou para fazer a fim de colocar em prática seu propósito em comum como casal do reino, vocês precisam administrar bem suas finanças. Com isso em mente, permita-me encerrar este capítulo sobre recursos com três palavras simples: dar, poupar e gastar. Ofereço estas palavras a todos os casais que aconselho na área das finanças. Elas também o ajudarão se você colocá-las em prática hoje.

Primeiro, *dê*. Provérbios 3.9-10 diz: "Honre o Senhor com suas riquezas e com a melhor parte de tudo que produzir. Então seus celeiros se encherão de cereais, e seus tonéis transbordarão de vinho". Sei que você talvez esteja dizendo que não entende como pode dar a Deus se não consegue nem pagar as contas, mas o Senhor diz que se você der a ele — se honrá-lo —, ele garantirá que você terá tudo de que necessita.

Lembro-me de quando estava no seminário e Lois e eu tínhamos filhos pequenos. Precisávamos sustentar uma família com apenas novecentos dólares por mês.

Para que você e seu cônjuge maximizem tudo o que Deus os criou para fazer a fim de colocar em prática seu propósito em comum como casal do reino, vocês precisam administrar bem suas finanças.

Muito embora o montante que tínhamos fosse pequeno, sempre dávamos noventa dólares primeiro para Deus, a fim de dizer que confiávamos que ele era nossa fonte. Não estávamos apenas devolvendo o dízimo, mas reconhecendo o direito de propriedade, ao mostrar quem era o grande Dono daqueles novecentos dólares. Ainda que a grana fosse curta, Deus foi fiel e proveu para nós o tempo inteiro.

Em seguida, *poupe*. Uma parte de cada recurso que você ganha deve ser economizado. O Egito conseguiu não só sobreviver a um período de sete anos de fome na época de José, mas também alimentar pessoas de outras terras (Gn 41.41-57). Isso aconteceu porque José instruiu os egípcios a separar — poupar — uma parte de cada colheita durante os sete anos que levaram à seca. A vida por vezes acaba dando um jeito de nos surpreender com despesas inesperadas. Quando você adquire o hábito de poupar parte do dinheiro, fica preparado para o que vier pela frente.

Paute sua vida por essas três palavras — dar, poupar e gastar — e experimente ver-se livre das dívidas.

Por fim, *gaste*. Mas gaste com sabedoria. Planeje os gastos. Elaborem um orçamento familiar, entrem em acordo e atenham-se a ele. Joguem duro, aproveitem a vida, mas também sejam espertos. Deus nos ensina em Provérbios 21.5: "Quem planeja bem e trabalha com dedicação prospera; quem se apressa e toma atalhos fica pobre". Não há nada de errado em gastar dinheiro ou desfrutar as bênçãos da vida. Isso só precisa ser feito com sabedoria e comedimento.

Sugiro que você paute sua vida por essas três palavras — dar, poupar e gastar — e experimente ver-se livre das dívidas. Quando isso acontecer, o dinheiro deixará de ser o patrão que lhe diz o que você deve fazer com seu tempo. Em vez disso, ao seguir os princípios divinos, você verá Deus restaurar a situação financeira em seu lar.

11
Romance

Quero que você se lembre da primeira vez que beijou seu cônjuge. Imagino que não seja difícil. A maioria de nós recorda esse momento de expectativa, o aumento dos hormônios e das emoções, e o ápice de quando seus lábios se uniram. Aliás, cientistas pesquisaram os efeitos do beijo, bem como a transmissão de dados sensoriais que ocorre, e concluíram que beijar é uma das coisas mais profundas que alguém pode fazer. O impacto de um beijo, quando tudo se alinha da maneira correta, pode deixar uma marca sensorial ainda mais poderosa no cérebro do que a primeira relação sexual.

Sheril Kirshenbaum, autora do livro *A ciência do beijo*, escreveu: "Mágico ou desastroso, algo o primeiro beijo provavelmente será: inesquecível".[1]

Kirshenbaum continua:

> O psicólogo John Bohannon, da Universidade Butler, e sua equipe de pesquisa entrevistaram quinhentas pessoas para comparar suas recordações de diversas experiências significativas da vida — como o primeiro beijo e a perda da virgindade — a fim de descobrir qual causou a impressão mais dramática. *O primeiro beijo superou tudo:* foi a memória mais vívida na mente dos entrevistados. Aliás, quando os detalhes específicos foram perguntados, Bohannon relatou que a maioria das pessoas conseguia

recordar até 90% dos detalhes do momento — onde estavam, quem tomou a iniciativa —, a despeito de quanto tempo tenha se passado.²

Existe uma razão biológica para isso que Deus, em sua sabedoria infinita, criou dentro de nós. Ao longo dos séculos, tivemos somente a habilidade de experimentar o amor romântico, em vez de estudá-lo. Os antropólogos descobriram evidências da existência do amor romântico em 170 sociedades diferentes, e jamais encontraram uma sociedade na qual ele não existisse.³ O romance está em nosso meio desde o passado remoto e até aparece como a maior ênfase de um livro inteiro da Bíblia, Cântico dos Cânticos.

O romance é uma parte tão poderosa de quem nós somos porque Deus nos criou de tal maneira que nos ligamos a nosso parceiro romântico não só com base em nossos pensamentos, interações e conversas, mas também por meio de nossos sentidos. No entanto, conforme as pesquisas nos têm demonstrado, as partes do cérebro despertadas pelo romance não são necessariamente as mesmas em atividade por meio do sexo. O romance que evoca emoções de amor muitas vezes envolve uma transferência complexa de sinais biológicos, que incluem cheiro, toque e gosto. Por isso o beijo é crucial para o vínculo de longo prazo. Enquanto beijamos, Deus projetou que nossos vasos sanguíneos se dilatem, oxigenando mais nosso cérebro.

O romance é uma parte poderosa de quem nós somos.

Os cientistas também constataram que nossas pupilas se dilatam enquanto beijamos. O beijo de língua permite que quase dez mil papilas gustativas da língua transmitam informação adicional para o cérebro, que reage produzindo certos hormônios planejados para fortalecer o vínculo entre duas pessoas.[4]

Sheril Kirshenbaum escreveu:

> O beijo também promove o "hormônio do amor", a ocitocina, que atua para manter uma conexão especial entre duas pessoas. O beijo é capaz de manter o amor vivo quando um relacionamento sobrevive há décadas, muito depois que a novidade passa. Em outras palavras, o beijo influencia a produção de hormônios e neurotransmissores além de nosso controle consciente, e esses sinais desempenham um imenso papel em como nos sentimos em relação um ao outro.
>
> Em contrapartida, um beijo ruim pode levar ao caos químico. Um ambiente desconfortável ou uma má compatibilidade pode estimular a secreção do cortisol, o "hormônio do estresse", desestimulando ambos os parceiros de continuar.[5]

A maioria dos casais é capaz de confirmar que é possível ter relações sexuais sem romance, mas é raro ter romance sem sexo. É claro que há momentos em que um cônjuge não pode fazer sexo por causa da idade ou de uma doença, mas se o romance existe e ambos têm condições, o sexo é o ápice natural da afeição romântica partilhada.

Parte disso acontece porque, quando o elo romântico é estimulado em nosso corpo e cérebro, o organismo reage produzindo substâncias químicas que criam o desejo por uma conexão e um vínculo mais profundos, ainda mais que por meio do sexo. Isso explica por que os terapeutas que incentivam os casais em crise a aumentar a atividade sexual são ineficazes. Eles não se concentram nos componentes cruciais do amor. Após quatro décadas aconselhando centenas e centenas de casais em crise, já ouvi com muita frequência que é possível fazer sexo sem estar apaixonado. O sexo não cria amor; ele foi planejado para ser o ápice do amor.

Logo, os casais com dificuldades no relacionamento precisam se concentrar em reacender tanto a conexão quanto o romance — seja por meio de palavras gentis, atos, escuta ativa, seja pelos beijos íntimos e toques sem natureza sexual — antes de buscar readquirir a química sexual que desfrutavam no passado.

O sexo sem o fundamento do romance não restaura o relacionamento. Todos sabemos que a intimidade sexual envolve muito mais que dois corpos desfrutando contato físico um com o outro e trocando uma experiência prazerosa. Se esse aspecto fosse o único necessário para a criação de um vínculo íntimo entre duas pessoas, então os profissionais do sexo deveriam ter os relacionamentos mais íntimos do mundo nos âmbitos emocional, físico e espiritual.

O sexo sem o fundamento do romance não restaura o relacionamento.

Yada, Yada, Yada

Nunca me esquecerei da experiência que tive há alguns anos. Eu estava preparando uma série de sermões sobre conhecer a Deus com intimidade quando deparei com um dos princípios mais reveladores relacionados à sexualidade que já encontrei. Ele se encontra debaixo do guarda-chuva do que significa "conhecer" a Deus. Ao analisar o hebraico, uma das línguas bíblicas originais, descobri que as Escrituras colocaram essa verdade sobre a intimidade espiritual com Deus no meio de algo que importa profundamente para todos nós: a intimidade humana um com o outro e, em particular, com o cônjuge.

Aprendi no seminário, há muitos anos, que sempre que abordamos o estudo das Escrituras e, de forma específica, quando buscamos descobrir o significado de uma palavra, expressão ou princípio, o melhor a fazer é usar a lei hermenêutica da primeira menção. O conceito de procedência é uma ferramenta importante na Bíblia. Segundo essa prática de estudo, o significado original atrelado a uma palavra ou um princípio deve permanecer contíguo ao longo dos usos futuros da mesma palavra ou princípio, a menos que o próprio texto bíblico o instrua a mudar em uma ocorrência posterior. Com isso em mente, a primeira menção de intimidade sexual aparece em Gênesis 4.1: "Adão *teve relações* com Eva, sua mulher, que engravidou. Quando deu à luz Caim, ela disse: 'Com a ajuda do Senhor, tive um filho!'".

Ao consultar o idioma original, descobrimos que a palavra traduzida por "teve relações" em português é o termo hebraico *yada*.[6] O mais interessante é que se trata da mesma palavra usada antes quando os olhos de Adão e Eva se abriram e eles "perceberam" que estavam nus. Também é o mesmo termo usado em Gênesis 3.22: "Então o Senhor Deus disse: 'Vejam, agora os seres humanos se tornaram semelhantes a nós, pois *conhecem* o bem e o mal'".

Embora em Gênesis 4.1 a palavra *yada* fale de algo que chamamos hoje de sexo ou intimidade sexual, o termo em si não se refere a partes do corpo ou a atos físicos. Em mais de mil ocorrências da palavra no Antigo Testamento, ela tem os seguintes significados:

- Fazer conhecer.
- Revelar-se.

- Tornar conhecido, ser revelado.
- Fazer-se conhecido.
- Conhecer.

Quando o termo *yada* é usado com conexão relacional, seja essa conexão entre humanos ou entre um ser humano e Deus, ele revela a profundidade de mergulhar na realidade da outra pessoa, a fim de conhecer profundamente e ser profundamente conhecido. Esse termo é tão íntimo quando usado em sua "primeira menção" para introduzir a relação sexual nas Escrituras que, quando aplicado a Deus, inclui algumas das interações mais íntimas que podemos ter com ele:

> Eu lhe darei tesouros escondidos na escuridão,
> sim, riquezas secretas.
> Farei isso para que *saiba* [*yada*] que eu sou o Senhor,
> o Deus de Israel, que chama você pelo nome.
>
> Isaías 45.3

> O Senhor é amigo dos que o temem;
> ele lhes *ensina* [*yada*] sua aliança.
>
> Salmos 25.14

> "Você é minha testemunha, ó Israel!", diz o Senhor.
> "Você é meu servo.
> Foi escolhido para me *conhecer* [*yada*],
> para crer em mim."
>
> Isaías 43.10

Nessas passagens, lemos sobre "tesouros escondidos", ser "escolhido" e as "riquezas secretas" do Senhor. Essas palavras se referem a nosso relacionamento com Deus, mas também as usamos um para o outro num vínculo conjugal próximo. Existe uma verdade acerca dos segredos: ou é preciso estar bem próximo do outro para sussurrá-lo ou, no mínimo, é preciso ter muita confiança para compartilhá-lo. Deus diz que somos íntimos dele dessa maneira quando o *conhecemos* (*yada*).

A verdadeira intimidade sexual, que inclui os laços românticos de conhecer e ser conhecido, compartilha muito mais que momentos de paixão. Ela é vivenciada porque duas pessoas repartem segredos, a própria biologia, feromônios, temores, falhas, esperanças, sonhos, confiança e muito mais. Por meio do elo romântico, os casais encontram a forma mais autêntica possível de amor.

A verdadeira intimidade sexual, que inclui os laços românticos de conhecer e ser conhecido, compartilha muito mais que momentos de paixão.

Aliás, a própria natureza secreta daquilo que partilham se torna seu tesouro ou sua riqueza. Afinal, o que faz de algo um segredo? É segredo porque ninguém mais participa dele.

O mesmo se aplica ao sexo e ao romance. Se um dos cônjuges compartilha esse aspecto da intimidade com alguém de fora da aliança do casamento, quebra o vínculo sagrado do tesouro secreto outrora partilhado com o cônjuge. Quando isso acontece, o elo de *yada* deixa de ser o que Deus planejou para se transformar no que Satanás procurou corromper, chamado nas Escrituras de *porneuō*[7] ou *shakab*.[8]

Esses termos bíblicos se referem ao mesmo ato sexual que *yada*, mas removem a natureza sagrada do ato e a substituem pela superficialidade do comum. Ao fazê-lo, os indivíduos se afastam de um dos principais propósitos e intenções da sexualidade: o vínculo exclusivo (emocional, espiritual e químico), que permite conhecer e ser conhecido.

Quando o sexo se torna nada mais que um ato a ser realizado como um fim em si mesmo, traz consigo dor emocional, ciúme, arrependimento e consequências emocionais, físicas e espirituais. Isso é verdade até mesmo dentro do casamento, uma vez que encontramos o termo *shakab* sendo usado para as relações sexuais entre Jacó e Lia, a esposa que ele não amava. Se você ler sobre o casamento de Jacó e Lia em Gênesis 29, descobrirá que era um relacionamento cheio de dor, perda, arrependimento e conflito. Veja outras ocasiões nas Escrituras em que é usado o termo *shakab* em lugar de *yada*:

- Quando Davi se relacionou sexualmente com Bate-Seba (2Sm 11).
- Quando Siquém profanou Diná (Gn 34).
- Quando Rúben teve relações sexuais com Bila, a concubina de seu pai (Gn 35.22).
- Quando Amnom estuprou Tamar (2Sm 13).
- Quando as filhas de Ló fizeram sexo com o pai (Gn 19.30-38).

O sexo em si mesmo não é uma intimidade que leva a um vínculo relacional mais profundo. Casais podem fazer sexo ao longo de todo o casamento e jamais experimentar *yada*. Isso é possível porque *yada* envolve bem mais que um ato. Inclui os elementos do vínculo romântico, desejo, cuidado e compromisso com o outro, que levam à profundidade do conhecimento dentro do relacionamento conjugal. É esse tipo de intimidade que desperta sentimentos de satisfação, contentamento, felicidade e alegria mútua de forma contínua.

Dizem por aí que o sexo não começa no quarto, e sim na cozinha. Na verdade, o sexo não começa nem no quarto, nem na cozinha, mas no cérebro. Os cientistas estudam aquilo que é chamado de "impressão odorífera", algo que cada um de nós tem e é semelhante à impressão digital. A impressão odorífera é composta por feromônios e outros odores capazes de engatilhar a atração entre determinadas pessoas.[9] Esses feromônios e outros odores podem ser usados não só durante o período de namoro para nos ajudar a escolher o melhor parceiro em potencial para nós, como também durante o casamento para preservar a atração e a excitação entre os cônjuges. Aliás, em uma pesquisa, mulheres casadas que haviam passado pela menopausa e não produziam mais os próprios feromônios receberam feromônios sintéticos semelhantes aos encontrados em mulheres mais jovens. Nesse estudo controlado por placebo, as mulheres que tomaram os feromônios apresentaram um aumento considerável não só nas relações sexuais com o marido, como também em atividades românticas, como carinhos e saídas com o cônjuge.[10]

> *O sexo não começa nem no quarto nem na cozinha, mas no cérebro.*

Além do cheiro, os atos de ver, ouvir, tocar, excitar-se e chegar ao orgasmo envolvem uma mistura extremamente complexa de substâncias e respostas químicas, cada uma delas projetada para regular uma conexão pretendida por nosso Criador. Aliás, cada uma dessas substâncias químicas — a ocitocina, em particular — fortalece nossa disposição de confiar no cônjuge. É por isso que muitos acreditam que as "conversas na cama" após o sexo ou em intervalos durante a relação sexual são uma experiência tão íntima. Nesses momentos, estamos quimicamente predispostos a baixar a guarda e confiar com maior profundidade do que em qualquer outro momento. Essa partilha relacional, leva a um conhecimento (*yada*) maior, o qual, por sua vez, aprofunda o relacionamento como um todo.[11]

Deus usa o entendimento e a experiência de intimidade em nosso relacionamento conjugal para nos dar pistas da intimidade única que existe dentro da Trindade, a qual também serve como parcela de entrada da intimidade que seus filhos desfrutarão com o Senhor na eternidade. Jesus deixou claro na Oração Sacerdotal que desejava união e unidade entre seus seguidores, nos mesmos moldes da experiência alegre de intimidade que ele desfrutava com o Pai (Jo 17.5,13,21). Visto que o casamento é a mais elevada forma de união que Deus criou neste mundo, conseguimos entender por que ele deve ser o principal contexto, na esfera humana, para começar a vivenciar a intimidade existente entre a Trindade. Isso também explica por que o casamento não será mais necessário no céu, uma vez que teremos uma experiência total e direta de intimidade com Deus (Mt 22.30).

Vigie seu casamento com todo zelo

Dentro do casamento, o vínculo químico do romance que Deus nos concedeu atende ao propósito maior de criar vínculos de compromisso, atração e proteção. Infelizmente, quando essas experiências acontecem fora dos limites do casamento (como em casos românticos e/ou físicos), elas não só prejudicam o vínculo conjugal, exigindo que o casal reconstrua o que perdeu caso deseje restaurar a harmonia no relacionamento, como também criam ligações químicas que deixam cicatrizes duradouras, desejos e até sintomas de crise de abstinência por meses ou anos após rompidas, conforme estudos já demonstraram. As relações extraconjugais (de origem física ou emocionalmente românticas) causam um dano muito maior que a quebra da confiança no casamento. Elas literalmente transferem o vínculo químico conjugal de um dos cônjuges para outra pessoa. Dados científicos mensuráveis mostraram que a abstinência de um interesse amoroso temporário é tão severa quanto a abstinência de alguma droga, se não mais.[12]

Agora estamos aprendendo isso por meio da ciência, mas Deus já sabia dessa realidade desde sempre. Chegou a nos contar algo bem semelhante em sua Palavra. Quando o apóstolo Paulo usou a palavra *kollaō*[13] para se referir ao homem que tem relações sexuais com uma prostituta, não é de se espantar que tenha usado um termo que significa literalmente "colar junto, cimentar". Ele escreveu: "Vocês não sabem que se um homem se *une* a uma prostituta ele se torna um corpo com ela?" (1Co 6.16). Tanto a atividade sexual quanto romântica liberam substâncias químicas projetadas para criar vínculo, e esses hormônios que causam impressões no cérebro colam ou cimentam indivíduos.

> *As relações extraconjugais (de origem física ou emocionalmente românticas) causam um dano muito maior que a quebra da confiança no casamento.*

Quando um relacionamento ilícito cessa, acontecem reações fisiológicas no cérebro, bem semelhantes ao que ocorre quando se para de usar drogas, consumir álcool ou outras substâncias viciantes. Toda vez que alguém coloca fim em um comportamento viciante sem o abordar espiritualmente por meio dos passos de reconhecimento, arrependimento, perdão, cura, capacitação e liberdade, a pessoa tem maior chance de voltar para o mesmo comportamento ou outro semelhante em uma ocasião posterior.

A falha em resolver e curar o aspecto espiritual da infidelidade conjugal (romântica ou sexual) pode ser comparada a tirar do alcoólatra sua marca favorita de cerveja e mandá-lo de volta para o bar com diversas outras opções de marca para escolher. Ele consegue parar de beber sua marca favorita de cerveja? Sim. Mas tem as ferramentas emocionais, físicas e espirituais necessárias para recusar a oportunidade de provar outra marca em outro dia? Dificilmente.

É por isso que as Escrituras nos ensinam: "Acima de todas as coisas, guarde seu coração, pois ele dirige o rumo de sua vida" (Pv 4.23). É muito mais fácil guardar seu coração e corpo acima de todas as coisas do que curar seu coração e o do cônjuge que você feriu e traiu. A conexão romântica e/ou física com alguém fora do casamento contamina o vínculo da aliança. Aliás, Jesus chega ao ponto de dizer que o homem que olha para uma mulher com lascívia está cometendo adultério (Mt 5.28). O adultério é mais profundo que o ato físico, pois está enraizado em uma fonte espiritual. Ao passo que a lei se concentrava na ação (Êx 20.14), Jesus colocou o foco no coração.

É muito mais fácil guardar seu coração e corpo acima de todas as coisas do que curar seu coração e o do cônjuge que você feriu e traiu.

Quando um homem encara uma mulher com segundas intenções — não estou me referindo a dar uma olhada para apreciar ou admirar a beleza dada por Deus a uma mulher, o que não é pecado —, quando demora o olhar ou vai além em sua mente, isso é luxúria. E a luxúria de qualquer forma, incluindo a pornografia, é imoralidade. Conforme escreveu Pedro, esses homens "cometem adultério com os olhos e abrigam um desejo insaciável de pecar" (2Pe 2.14).

Doando-se um para o outro

Como então devemos guardar o coração e o corpo acima de todas as coisas no que diz respeito ao romance no casamento? Uma maneira é destacada para nós pelo apóstolo Paulo em sua primeira carta à igreja em Corinto:

> O marido deve cumprir os seus deveres conjugais para com a sua mulher, e da mesma forma a mulher para com o seu marido. A mulher não tem autoridade sobre o seu próprio corpo, mas sim o marido. Da mesma forma, o marido não tem autoridade sobre o seu próprio corpo, mas sim a mulher.
> 1Coríntios 7.3-4, NVI

Paulo usa a expressão *deveres conjugais* em referência à intimidade física, fornecendo-nos uma forma única de enxergar esse ato sagrado. Um dever é algo especificamente planejado para ser voltado para o outro, a fim de realizar algo de que outra pessoa necessita. Além disso, Paulo lembra seus leitores de maneira específica que nem a mulher nem o marido têm autoridade sobre o próprio corpo. Ambos pertencem um ao outro. Os dois cônjuges precisam de experiências sexuais e românticas no casamento, e pode ser que um cônjuge necessite de intimidade em um momento no qual o outro não esteja com vontade. É por isso que Paulo admoesta ambos a cumprirem seu dever.

Um dos maiores obstáculos para o desenvolvimento da verdadeira intimidade física dentro do casamento é a falha em compreender corretamente as necessidades do outro.

Muitos homens já me disseram durante sessões de aconselhamento:

— Eu adoraria cumprir meu dever para com minha esposa, mas ela não deixa.

Minha resposta para eles é sempre a mesma:

— Pode ser porque você está se oferecendo para cumprir algo de que ela não precisa.

Um dos maiores obstáculos para o desenvolvimento da verdadeira intimidade física dentro do casamento é a falha em compreender corretamente as necessidades do outro e, então, satisfazer primeiro essas necessidades. O dever vai além da intimidade física.

As necessidades de uma mulher começam de manhã, não à noite; iniciam com as emoções dela, não com seu corpo. Alguns maridos não conseguem entender do que a esposa realmente necessita, e quando dão as caras às dez da noite prontos para satisfazer as necessidades *dela*, são recebidos com costas geladas, em lugar de um abraço aquecido. Marido, se sua mulher sabe que só pode contar com sua presença quando você deseja ter relações físicas, você não está satisfazendo as necessidades emocionais e relacionais dela. É por isso que 1Pedro 3.7 nos orienta a entender a esposa. A maioria das mulheres se sentia atraída pelo menos por parte daquilo que fazíamos durante o período de namoro. Algo que fazíamos era conversar de uma maneira que as levava a reagir positivamente.

Outra coisa que muitos homens eram bons na época do namoro com a futura esposa era fazê-la se sentir especial, planejando pequenas surpresas. O namorado abria a porta do carro, esperava a namorada entrar e então a fechava com cuidado. Agora ela tem sorte se conseguir entrar no carro antes que o marido arranque. Quando ela estava prestes a passar por uma porta, o namorado corria para abri-la. Agora a porta quase se fecha diante de seu rosto depois que o marido passa em sua frente.

Marido, sua esposa quis se casar não porque você se despiu e ficou falando sobre seus atributos masculinos. O desejo de se casar veio porque você atendeu às necessidades emocionais, relacionais e até mesmo românticas dela. Essas necessidades não mudam depois do "sim" no altar.

No aconselhamento conjugal, muitas esposas contam que sua necessidade de afeto, segurança, comunicação e cuidado não é suprida. Quando acaba o romance do relacionamento, a paixão pelo sexo também costuma diminuir. É raro ser verdade quando os casais me dizem que têm um problema sexual. Na maioria dos casos, trata-se, na verdade, de um problema de intimidade, uma barreira relacional. Por causa disso, não conseguem fazer dar certo a parte física do casamento.

Mas, esposas, quero falar com vocês também, pois Paulo as exortou a atender às necessidades do marido. A mulher não pode simplesmente olhar para as próprias vontades dentro do casamento, sem se importar com o que é importante para o marido. Em geral, seu marido desejará ter intimidade física com regularidade, mas existem outras coisas que podem ajudar a satisfazer as necessidades dele também. Uma delas é a aparência e o cuidado pessoal, que as esposas com frequência negligenciam diante do excesso de compromissos ou quando os filhos entram em cena. Tente se lembrar do tempo que você passava se arrumando para seu marido quando vocês namoravam e procure se manter tão atraente para ele quanto antes de dizer "sim".

Esposa, seu marido não conseguirá continuar a namorá-la, cuidar de você, elogiá-la, servi-la e garantir que suas necessidades sejam atendidas para, logo em seguida, ter as próprias necessidades negadas. Receber amor e afeto do marido sem corresponder de maneiras significativas para ele acabará levando à falta de intimidade também. Quando o marido cumpre seu dever para com a esposa, ela responde à iniciativa dele se rendendo ao toque, ao carinho, às carícias e ao amor do marido. De igual modo, o marido reage à resposta dela a ele, também entregando o corpo à mulher. O retrato apresentado nos versículos de Paulo mostra duas pessoas que pertencem totalmente uma à outra. Por meio do mistério do sexo, o casal descobre um nível de intimidade que envolve a doação de si mesmo, mediante vulnerabilidade singular e concessão mútua.

Por meio do mistério do sexo, o casal descobre um nível de intimidade que envolve a doação de si mesmo, mediante vulnerabilidade singular e concessão mútua.

Cântico dos Cânticos contém a descrição mais franca da Bíblia sobre a intimidade sexual no casamento. O capítulo 4 fala sobre o crescimento da intimidade com vários detalhes, e a beleza de tudo é a entrega do eu realizada tanto por Salomão quanto pela esposa à medida que ambos cedem o próprio corpo.

A intimidade começa com os elogios e as palavras de admiração e apreço de Salomão pela esposa, não com o ato físico do sexo. Mas quando acontece o momento de intimidade sexual, o próprio Deus convida os amantes a desfrutarem um do outro (Ct 5.1) no ato que ele concedeu aos cônjuges como uma das maneiras mais profundamente recompensadoras e mutuamente familiares de se relacionar na esfera humana.

Honrem a intimidade um do outro

Dá-se muita atenção à área da sexualidade dentro do casamento porque a intimidade sexual é importante para a vitalidade e saúde contínua do relacionamento. Mas existe outra área que costuma ser negligenciada e sobre a qual eu gostaria de falar brevemente antes de encerrarmos este capítulo a respeito do romance. Este aspecto por vezes menosprezado é honrar voluntariamente sua intimidade contínua com seu cônjuge.

O que quero dizer com honrar a intimidade? Estou falando em respeitar e apreciar a profundidade especial da comunicação, da liberdade visual e física e do intercâmbio que acontece dentro do relacionamento conjugal.

Com frequência, marido e mulher se abrem um com o outro sobre áreas da vida que talvez não sintam liberdade de conversar com outras pessoas, incluindo medos, ambições, pensamentos ocultos e até fantasias. Tais confidências íntimas da alma, que podem acontecer em conversas na cama antes ou depois do sexo, devem ser protegidas e estimadas. Não use os momentos de partilha íntima para corrigir, diminuir ou interrogar seu cônjuge. Além disso, demonstre

> *O retrato apresentado nos versículos de Paulo apresenta duas pessoas que pertencem totalmente uma à outra.*

apreço por essas conversas partilhadas em segredo, conservando-as na privacidade protegida na qual vocês a tiveram. Trazê-las à tona novamente na mesa da cozinha ou em atividades mais comuns da vida pode acabar reprimindo os momentos especiais que vocês desfrutaram. Protejam o coração um do outro e serão recompensados com intimidade mais profunda, tanto do coração quanto da mente.

A honra ao cônjuge na área da intimidade também inclui sua apresentação e interação pessoal. Já vi, com muita frequência, homens e mulheres que eram bem atraentes e que, após o casamento, se largaram por completo. Qualquer que tenha sido o motivo, prestavam bastante atenção não só à aparência, mas também a como se apresentavam antes do casamento, e no entanto deixaram de fazê-lo depois. Ou, conforme costuma acontecer em casos de aconselhamento, os cônjuges comentam que só veem o outro como no passado em ocasiões especiais e em saídas do casal. Durante o resto do tempo, a esposa passa a vida de moletom, camiseta e sem maquiagem, enquanto o marido é desleixado e não se cuida.

Vocês dois são um presente um para o outro todos os dias. Celebrem esse presente. Aquilo que vocês compartilham juntos é precioso e jamais pode ser dividido, em nenhuma área, com nenhuma outra pessoa. Isso não significa que precisam se vestir com roupas sofisticadas o tempo inteiro, mas por que não honrar seu cônjuge prestando atenção especial em como você se apresenta diante dos olhos dele? Por que não desejar que seu cônjuge continue a enxergar você como o tesouro dos olhos dele?

Esposa, quando você entra no ambiente, ainda chama a atenção dele? Ou precisa esperar por uma noite fora juntos para ouvi-lo dizer: "Uau!"? Marido, ela consegue ouvir o resto do almoço ser arrotado no cômodo ao lado ou você ainda a honra tratando-a como uma dama na presença de um cavalheiro?

Honrar a intimidade também significa usar um vocabulário santo em todas as suas conversas. Já ouvi cônjuges falando ou exigindo coisas do outro quando achavam que ninguém estava por perto para ouvir, e fiquei estarrecido. O tom era rude, as palavras escolhidas eram diretas e egoístas. Se eu fiquei espantado, imagine o que o cônjuge sentiu? No entanto, isso parece acontecer com muita frequência em vários casamentos.

Ou então é comum que maridos e mulheres usem um ao outro não como ombro amigo, mas como alvo de todos os desabafos. Rebaixam tanto a honra de sua intimidade que ambos se sentem livres para reclamar da vida, do trabalho, dos amigos, um do outro ou de qualquer outra coisa. Dividir situações estressantes com o cônjuge é importante e saudável para dar e receber apoio. Mas permitir que o diálogo entre vocês se deteriore a tal ponto que seu cônjuge precise carregar verbalmente todos os seus fardos pessoais, dia após dia, diminui a consagração de seu espaço verbal.

Romance envolve acrescentar alegria à vida do outro de diversas maneiras, e uma delas é revestir seu tom, suas palavras e seu toque de respeito e encantamento. Não restrinja as palavras gentis ou os apelidos carinhosos somente para o quarto ou para encontros a dois, enquanto o relacionamento em si se transforma em um espaço para descarregar constantemente o peso do dia a dia. O casamento foi planejado para trazer à tona o melhor em ambos, a fim de que, juntos, vocês cumpram o propósito divino em sua vida. Apreciem esse presente concedido pelo Senhor, demonstrando honra, respeito e mantendo viva a chama do romance.

> *Honrar a intimidade também significa usar um vocabulário santo em todas as suas conversas.*

12
Reconstrução

A maioria de nós já viu implosões na televisão, nas quais edifícios são derrubados. Isso costuma acontecer quando um prédio velho e dilapidado está ocupando espaço valioso que poderia ser aproveitado para outra coisa. A dinamite é estrategicamente colocada no prédio para implodi-lo, transformando prédios de qualquer altura em uma pilha de destroços.

Não importa o quanto demorou para a equipe de construtores edificar o prédio — semanas, meses ou até anos. Bastam segundos para destruí-lo. Tudo porque uma implosão aconteceu.

Infelizmente, hoje muitos casamentos estão implodindo com acessos explosivos ou palavras ferinas. Com a língua, temos a capacidade de destruir rapidamente as esperanças e a saúde emocional um do outro, derrubando o que pode ter levado anos para edificar em nossos relacionamentos.

Com a língua, temos a capacidade de destruir rapidamente as esperanças e a saúde emocional um do outro, derrubando o que pode ter levado anos para edificar em nossos relacionamentos.

As Escrituras nos apontam para a direção contrária em relação ao uso das palavras no âmbito conjugal. Em vez de nos destruir mutuamente, a Bíblia nos instrui a intencionalmente levantar, desenvolver e edificar um ao outro por meio do que dizemos. Lemos em vários lugares:

> Portanto, tenhamos como alvo a harmonia e procuremos *edificar* uns aos outros.
>
> Romanos 14.19

> Tudo que for feito [...] deverá *fortalecer* a todos.
>
> 1Coríntios 14.26

> Em vez disso, falaremos a verdade em amor, tornando-nos, em todos os aspectos, cada vez mais parecidos com Cristo, que é a cabeça. Ele faz que todo o corpo se encaixe perfeitamente. E cada parte, ao cumprir sua função específica, ajuda as demais a crescer, para que todo o corpo se *desenvolva* e seja saudável em amor.
>
> Efésios 4.15-16

> *Animem* e *edifiquem* uns aos outros, como têm feito.
>
> 1Tessalonicenses 5.11

Muitos casais são conhecidos por destruirem um ao outro, em vez de se edificarem mutuamente. Talvez seja um comentário atravessado em público ou uma palavra de gentileza não proferida na companhia dos amigos. Quem sabe seja algo particular, feito entre quatro paredes. Seja qual for o caso, nossas palavras podem ferir ou dar vida. Elas são poderosas. O casamento saudável é aquele no qual os dois cônjuges tratam com cuidado essa área crucial do que têm a dizer um ao outro.

O poder de suas palavras

A Bíblia é clara no que diz respeito a relacionamentos. Nós devemos ser os construtores que edificam algo, não os demolidores que destroem. De todos os lugares do planeta, o casamento deve ser aquele no qual você se sente encorajado, é relembrado de seus pontos fortes e recebe a motivação de que necessita para colocá-los em prática da melhor maneira. Qual foi a última vez que você elogiou seu cônjuge sem nenhuma segunda intenção? Se alguém lhe perguntasse, você conseguiria identificar com precisão as melhores habilidades de seu cônjuge, os pontos fortes e as qualidades do caráter dele? Seu cônjuge conhece as características que levaram você a se sentir atraído por ele?

Você pode incluir, em seu tempo com Deus, uma oração semelhante a esta: "Querido Pai, ajuda-me a sempre usar minhas palavras para edificar meu cônjuge, a fim de que ele viva plenamente o destino que tu escolheste para sua vida. Ajuda-me a focar os pontos fortes que ele tem, deixando de lado ou corrigindo com amor os pontos fracos, para que eu possa dizer coisas que gerem vida, não morte".

É uma prece simples, mas eu o incentivo a acrescentá-la a seu arsenal de guerreiro de oração. Com muita frequência, os cônjuges se concentram em "ajudar" um ao outro, destacando os pontos fracos, até mesmo em oração. Que tal, em vez de chamar atenção para os erros de seu cônjuge em oração ao Senhor (que já os conhece, de qualquer maneira), você dedicar tempo para agradecer a Deus pelas características positivas de seu companheiro de vida? Transforme isso em hábito e logo você

De todos os lugares do planeta, o casamento deve ser aquele no qual você se sente encorajado, é relembrado de seus pontos fortes e recebe a motivação de que necessita para colocá-los em prática da melhor maneira.

perceberá uma mudança em sua forma de enxergar seu cônjuge e de conversar com ele.

A edificação mútua começa com uma mentalidade que valoriza a importância do encorajamento por meio das palavras. Efésios 4.29 diz: "Evitem o linguajar sujo e insultante. Que todas as suas palavras sejam boas e úteis, a fim de dar ânimo àqueles que as ouvirem". Nessa passagem, a edificação é diretamente ligada à comunicação.

Apesar de nossas melhores tentativas de diminuir o impacto causado pela comunicação, as palavras são importantes. Talvez você já tenha ouvido o ditado: "Pau e pedra podem até me atingir, mas palavras jamais irão me ferir". Não sei quem inventou essa, nem por que o fez, mas tal declaração não poderia estar mais distante da realidade. Casamentos inteiros já foram arruinados por coisas que foram ditas ou repetidas ao longo de um período. Vidas já foram destroçadas por palavras. A verdade é que as palavras importam, sim. Aquilo que você ouve afeta como pensa, como se sente e, em última instância, como age.

> *Aquilo que você diz, como você diz e até mesmo quando diz afeta se você está edificando ou derrubando alguém.*

Se um juiz o declarasse "culpado" ou "inocente" em um julgamento, essas duas palavras teriam grande importância por causa do impacto em sua liberdade. Se um médico entrasse no consultório e dissesse "benigno" ou "maligno", pode ter a certeza de que essas palavras afetariam toda a natureza de seu bem-estar. As palavras podem determinar sua saúde emocional ou a falta dela, se você permitir — e a maioria de nós permite.

Aquilo que você diz, como você diz e até mesmo quando diz afeta se você está edificando ou derrubando alguém. Sua boca revela seu coração e, ao mesmo tempo, afeta a outra pessoa, para o bem ou para o mal.

Sabedoria nas palavras

No casamento, o objetivo da edificação por meio da comunicação é fortalecer um ao outro. Quando seu cônjuge precisa enfrentar críticas no trabalho, na comunidade, por parte de familiares distantes ou até mesmo dos filhos, seu casamento deve ser o refúgio seguro no qual ele pode ter a certeza de que receberá encorajamento e amor. Isso não significa que você jamais mostrará áreas que precisem ser melhoradas, mas sim que sempre dirá "a verdade em amor" (Ef 4.15), fazendo do amor e da verdade os dois pré-requisitos que suas palavras precisam cumprir.

A amargura na qual jazem muitos casamentos hoje me faz lembrar de uma história contada acerca de Lady Astor e Winston Churchill. Eles serviram juntos no Parlamento britânico e se odiavam abertamente. Certo dia, Lady Astor disse para Churchill:

— Se o senhor fosse meu marido, eu envenenaria seu chá.

Ao que Winston respondeu:

— Madame, se a senhora fosse minha esposa, pode ter certeza de que eu beberia.

Rimos do extremismo desses sentimentos, mas você ficaria surpreso ao descobrir o tipo de coisa que marido e mulher dizem um para o outro. Talvez você mesmo já tenha feito isso ou sido alvo de palavras terríveis. Após aconselhar casais há quase quatro décadas, posso afirmar que já ouvi de tudo. E a língua, de longe, é uma das ferramentas mais poderosas que existem — para o bem ou para o mal. Conforme vimos anteriormente em Efésios 4.29, devemos falar de uma maneira que dê ânimo a quem ouve nossas palavras. Uma das maneiras de enxergar a comunicação com o cônjuge é entender esse ato como um ministério de graça, o propósito por trás de tudo. Graça significa favor, ou seja, um favor não merecido.

Não deveria importar se seu cônjuge merece que você diga coisas boas. Não deveria importar se ele obteve sua aprovação. De acordo com a Palavra de Deus, você deve usar as palavras e o tom da voz a fim de ministrar graça em seu casamento. Não lhe causa alegria saber que o Senhor não espera você merecer a graça dele antes de estendê-la? Tampouco você deve manter seu cônjuge refém de um padrão específico antes de ministrar graça a ele naquilo que lhe diz.

Palavras temperadas com sal

Como você fala o que fala costuma ser tão importante quanto *o que* você fala. Isso me lembra a história do marido que estava cuidando da sogra idosa e do cachorro, que a esposa amava muito. A mulher tinha saído para resolver algumas coisas fora de casa. Quando ela voltou algumas horas depois, perguntou:

— Onde está o cachorro?

O marido respondeu:

— Morreu.

— O quê? — ela perguntou pasma. — Não posso acreditar que você me deu essa notícia desse jeito! Em vez de falar simplesmente que o cachorro morreu, por que não tentou ao menos suavizar o golpe? Você poderia ter dito: "O cachorro estava no telhado, escorregou e não resistiu".

Algum tempo se passou e a esposa percebeu que não tinha visto a mãe, que morava com eles na época. Então perguntou ao marido:

— Onde está minha mãe?

O marido refletiu no que ela tinha dito sobre o cachorro, então respondeu:

— Bem, sua mãe estava no telhado...

Você é direto em sua forma de falar com o cônjuge? Existe espaço para abrandar o que você diz? Você perdeu a arte de ser polido no trato com o cônjuge? Muitos casamentos hoje são marcados pela grosseria na fala. Se você não falaria dessa maneira com seus colegas de trabalho, com seu chefe ou até mesmo com um estranho no supermercado, por que acha que é amoroso, gentil e produtivo para o relacionamento conversar assim com o cônjuge?

A Bíblia nos instrui: "O seu falar seja sempre agradável e temperado com sal, para que saibam como responder a cada um" (Cl 4.6, NVI). Em outras palavras, coloque tempero em suas palavras para que elas tenham o melhor gosto possível e não apresentem possibilidade de apodrecer. É isso que o sal faz: acrescenta sabor e evita o apodrecimento. Se você tem interesse em temperar seu casamento, adicione sal ao que diz. Se tem interesse em conservar seu casamento, adicione sal ao que diz. Escolha tanto o tom quanto o vocabulário de maneira intencional a fim de edificar o outro, e você ficará surpreso com o que isso fará para melhorar seu relacionamento. Quando falar com o cônjuge, não se esqueça de dar sabor à sua comunicação, para que aquilo que você diz seja não só comestível, mas também digerível.

> Como *você fala o que fala* costuma ser tão importante quanto o que *você fala*.

Se nós, casais, começássemos a adotar a atitude e a abordagem de tentar ministrar ao outro com nossas palavras, no intuito de nos edificar mutuamente, teríamos menos "reações" e menos conflitos conjugais. Diminuiriam também a competição, a raiva, o arrependimento e a dor que vivenciamos no casamento. Não seria bom ter um casamento marcado por paz e graça, em vez de por golpes e dor? É possível, se vocês se comprometerem a edificar um ao outro.

Domando a língua

Tiago é um livro curto, mas repleto de lições fortes. E tem muito a dizer acerca de nossas palavras. No capítulo 3, Tiago introduz uma analogia bem detalhada acerca da língua:

> Observem também que um pequeno leme faz um grande navio se voltar para onde o piloto deseja, mesmo com ventos fortes. Assim também, a língua é algo pequeno que profere discursos grandiosos.
>
> Vejam como uma simples fagulha é capaz de incendiar uma grande floresta. E, entre todas as partes do corpo, a língua é uma chama de fogo. É um mundo de maldade que corrompe todo o corpo. Ateia fogo a uma vida inteira, pois o próprio inferno a acende.
>
> O ser humano consegue domar toda espécie de animal, ave, réptil e peixe, mas ninguém consegue domar a língua. Ela é incontrolável e perversa, cheia de veneno mortífero. Às vezes louva nosso Senhor e Pai e, às vezes, amaldiçoa aqueles que Deus criou à sua imagem. E, assim, bênção e maldição saem da mesma boca. Meus irmãos, isso não está certo! Acaso de uma mesma fonte pode jorrar água doce e amarga? Pode a figueira produzir azeitonas ou a videira produzir figos? Da mesma forma, não se pode tirar água doce de uma fonte salgada.
>
> Tiago 3.4-12

Amigo, se Deus controla sua boca, você não deve transmitir uma mensagem dúbia. Não devemos ouvir você louvando a Deus e amaldiçoando os outros. Não pode falar de uma maneira na igreja, em frente dos membros da família de Deus, e de outra forma na presença de sua família. A língua é uma ferramenta poderosa, conforme Tiago mencionou, assim como o leme é capaz de direcionar um imenso navio. Sua língua e aquilo que você diz têm a capacidade de dirigir seu casamento rumo à satisfação e ao benefício mútuos, ou ao desespero e dano mútuos. Escolha suas palavras com cuidado, pois elas podem abrigar tanto a vida quanto a morte.

Você afeta não só seu casamento com aquilo que diz, mas também o seu relacionamento com Deus. Analisemos em maiores detalhes Efésios 4.29-32, que abordei anteriormente. Nessa passagem, descobrimos como aquilo que dizemos um para o outro impacta o nível de nossa intimidade pessoal com Deus, o que, por sua vez, afeta nosso acesso à sua plenitude, seu poder, sua graça e seu perdão, dos quais tão desesperadamente necessitamos:

Escolha suas palavras com cuidado, pois elas podem abrigar tanto a vida quanto a morte.

> Evitem o linguajar sujo e insultante. Que todas as suas palavras sejam boas e úteis, a fim de dar ânimo àqueles que as ouvirem. Não entristeçam o Espírito Santo de Deus, o selo que ele colocou sobre vocês para o dia em que nos resgatará como sua propriedade. Livrem-se de toda amargura, raiva, ira, das palavras ásperas e da calúnia, e de todo tipo de maldade. Em vez disso, sejam bondosos e tenham compaixão uns dos outros, perdoando-se como Deus os perdoou em Cristo.

A maioria de nós não se dá conta de como as palavras rudes que dizemos para o cônjuge entristecem o Espírito Santo de Deus. Mas é isso que acontece. Tenho certeza de que, se tivéssemos maior consciência desse fato, tomaríamos maior cuidado com nossas palavras. O Espírito Santo se consterna com nosso discurso, pois a fala é uma questão espiritual, não mera conversa. Aquilo que você diz e como diz não deve depender da perfeição ou do desempenho de seu cônjuge. Em vez disso, precisa depender por completo da gentileza, da bondade, da graça e do perdão de Deus por você. Use o tratamento que o Senhor lhe dispensa como padrão para seu modo de tratar o cônjuge.

Posso imaginar o que você talvez esteja pensando neste momento: "Mas, Tony, você não sabe o que meu cônjuge fez comigo. Não sabe o quanto ele me feriu, me menosprezou, gritou comigo... ou tudo isso". E você está certo. Eu não sei, mas Deus sabe. E é ele quem nos dá instruções acerca da língua. Seja lá o que possam ter lhe dito ou feito, Deus ainda o instrui a cuidar das palavras. Tomei a liberdade de parafrasear a passagem a seguir em termos conjugais, com as palavras substituídas em itálico:

> *Casados*, não falem mal *de seu cônjuge*. Se criticam e julgam *o cônjuge*, criticam e julgam a lei. Cabe-lhes, porém, praticar a lei, e não a julgar. Somente aquele que deu a lei é Juiz, e somente ele tem poder de salvar ou destruir. Portanto, que direito vocês têm de julgar *seu cônjuge*?
>
> Tiago 4.11-12

Se essa mensagem já não fosse direta o bastante, Deus reitera essa ideia no capítulo 5, e mais uma vez eu a parafraseei com termos conjugais: "*Casados*, não se queixem *de seu cônjuge*, para que não sejam julgados. Pois, vejam, o Juiz está à porta!" (v. 9).

Não fui eu quem disse; foi Deus. Nem se queixe! Reclamar de alguém presume que existe um motivo para queixa. Qualquer pessoa casada tem motivos legítimos para reclamar do cônjuge simplesmente porque o outro é humano, com uma natureza pecaminosa, assim como nós mesmos. Sim, você já foi magoado por seu cônjuge. Sim, quem sabe você tenha sido negligenciado e menosprezado ou tenha ouvido palavras duras. Mas Deus é claro: não se queixe. Dê espaço para que ele trabalhe em seu cônjuge, deixando as queixas nas mãos dele.

Quando controla a língua e a usa em obediência a Deus para edificar em lugar de reclamar, você abre as portas para que a mão do Senhor redima, corrija, desafie e restaure seu cônjuge a um relacionamento mais correto com você. Muitas vezes, os casais impedem o agir de Deus ao tentar resolver as coisas com as próprias mãos, ou melhor, com a própria boca.

Lemos anteriormente em Tiago 5.8: "Sejam também pacientes. Fortaleçam-se em seu coração, pois a vinda do Senhor está próxima". Ele está mais próximo, e sua vinda para nos livrar ocorrerá antes do que talvez imaginemos. Mas, enquanto você espera que Deus intervenha, não permita que a frustração com seu cônjuge o leve a descontar nele. Pois, se o fizer, em vez de o Senhor se aproximar de você conforme explica Tiago 5.8, você acabará recebendo o versículo 9, o julgamento do Senhor: "Irmãos, não se queixem uns dos outros, para que não sejam julgados".

> *Dê espaço para que Deus trabalhe em seu cônjuge, deixando as queixas nas mãos dele.*

No versículo 8, Deus vem para livrar. Já no versículo 9, ele vem para julgar. E a única diferença entre os versos 8 e 9 é a sua boca. A diferença entre Deus vir ajudá-lo ou julgá-lo, no contexto do casamento, está no que você diz. Em outras palavras, vigie sua língua, porque ela pode estar bloqueando sua bênção. Sua boca pode estar impedindo seu livramento. É possível que Deus já esteja à porta para restaurar, mas então ouve o que você diz para seu cônjuge e a fecha.

Foi a boca dos israelitas que os impediu de entrar na terra prometida. Toda vez que enfrentavam um desafio, eles reclamavam. Resmungavam por não ter água suficiente, não ter comida de sobra, viviam se perguntando por que não podiam simplesmente voltar para o Egito... e mais! Por isso, ao longo de quarenta anos, o Senhor permitiu que os israelitas peregrinassem em sua miséria, em lugar de desfrutar as bênçãos de suas promessas e provisões fartas, depois de falarem demais sobre as coisas erradas.

É como o fazendeiro que estava dirigindo com sua caminhonete na estrada, com o cachorro ao lado e o cavalo sendo puxado em um *trailer*. Quando acertou com força uma esquina, todos tombaram. Um policial apareceu pouco depois do acidente. Ele se aproximou do cavalo e viu que o animal não iria resistir. Então, sacou a arma e atirou no cavalo para aliviar sua dor. Em seguida, foi até o cão e viu que ele estava em agonia, perto da morte. Deu-lhe um alívio também. Por fim, caminhou até o fazendeiro e perguntou-lhe como ele se sentia. Vendo a fumaça que ainda saía da arma, o fazendeiro respondeu o mais rápido possível: "Nunca me senti tão bem na vida!".

Brincadeiras à parte, suas palavras podem salvar sua vida, e mais: podem salvar seu casamento. Escolha comunicar bênção para seu lar e para seu cônjuge diariamente. Em vez de reclamar, envie uma mensagem de texto com palavras que edificam seu cônjuge e veja o que acontece. Você ficará surpreso. Ninguém quer ficar preso a um casamento infeliz, mas essa tristeza pode ser transformada em bênção caso você se comprometa a escolher de maneira intencional aquilo que diz com base nos princípios divinos. Faça isso e toda a atmosfera de seu lar melhorará.

> *Escolha comunicar bênção para seu lar e seu cônjuge diariamente.*

Que a oração de Davi se torne sua, todos os dias, em prol de seu casamento: "Que as palavras da minha boca e a meditação do meu coração sejam agradáveis a ti, Senhor, minha rocha e meu redentor!" (Sl 19.14). Ore esse versículo todas as manhãs e coloque-o em prática, e a vida de seu casamento será restaurada.

A respiração boca a boca dá vida, assim como a maturidade boca a boca naquilo que escolhemos dizer ou não.

13
Retorno

Certa vez, uma mulher casada disse: "Eu estava em busca da perfeição, mas, em vez disso, ganhei essa confusão e agora quero uma nova opção".

Um homem explicou da seguinte maneira: "O casamento se transformou em um poema rimado: um anel de noivado, uma aliança de casado e uma vida enjaulado".

É possível viver na mesma casa com alguém e não desfrutar muito o lar. Isso acontece quando o amor se deteriora em deveres, quando a paixão se transforma em programas e a comunicação passa a ser feita por meio de bilhetes, grunhidos ou mensagens de texto.

É como o marido e a mulher que pararam de se falar por um longo período por causa de um conflito que tiveram. Sem querer se atrasar para o voo da manhã seguinte, o esposo escreveu um bilhete e o colocou no lado da cama que a esposa dormia na noite anterior, com as seguintes palavras: "Acorde-me às cinco da manhã para eu conseguir pegar o voo a tempo".

É possível viver na mesma casa com alguém e não desfrutar muito o lar.

Quando o marido acordou, percebeu que já eram sete e meia e ele havia perdido o voo. Furioso porque a esposa não o tinha acordado, olhou para o lado dela da cama. A mulher não estava lá, mas em seu lugar havia um bilhete que dizia: "São cinco da manhã".

Também é possível saber que o casamento está azedando quando os elogios se transformam em crítica. Certo homem estava tão frustrado com a esposa que disse:

— Não consigo acreditar que Deus criou alguém tão bonita e, ao mesmo tempo, tão burra!

Ao que ela respondeu:

— Bem, você está certo! Deus me fez bonita para você me amar e me fez burra para que eu conseguisse amar você.

Sei que esse nível de sarcasmo pode parecer duro, mas, com base nas sessões de aconselhamento conjugal que tenho feito, posso dizer que não é incomum. Os problemas nos relacionamentos acontecem em todos os formatos e tamanhos, afetando todas as maneiras com que os cônjuges se relacionam um com o outro.

Às vezes, não é tão diferente dos problemas que vivenciamos em nosso relacionamento com Deus. Há cristãos que passam dias ou até semanas sem qualquer comunicação significativa com o Senhor. Ou a comunicação pode ser completamente unilateral. Deus aborda o cerne de nosso relacionamento com ele em Apocalipse e, embora não tratem especificamente do casamento, os princípios apresentados acerca de como nos relacionamos com ele podem ser transpostos e aplicados de diversas maneiras ao relacionamento conjugal. O entendimento do cerne da questão com Deus pode nos ajudar a compreender melhor o cerne da questão com nosso cônjuge.

A passagem que desejo destacar é parte de uma carta escrita para as sete igrejas, na qual nosso Senhor descreveu como se sentia acerca de seu relacionamento com cada uma delas. A primeira igreja endereçada foi a de Éfeso, que poderia ser considerada a Nova York moderna da Ásia menor. Éfeso era o lugar onde aconteciam todas as coisas no varejo, no comércio internacional e até em encontros sociais. Éfeso abrigava a expressão cultural da época, além de atividades religiosas. Ali, o templo de Diana funcionava como centro de boa parte da vida. Éfeso era promissora e cheia de potencial em praticamente todos os aspectos. A vida fluía por suas ruas.

A igreja surgira em Éfeso por meio da obra e do ministério do apóstolo Paulo, e no início os membros da igreja eram muito entusiasmados por Deus (At 19). Eles levaram seus amuletos, livros de magia e qualquer outra coisa associada ao antigo estilo de vida, e literalmente colocaram fogo em tudo, por devoção a Deus. O relacionamento com o Senhor era apaixonado, zeloso e envolvido.

> *O que fazemos nem sempre revela o coração por trás das ações, mas aqueles que estão mais próximos — Deus e o cônjuge — conhecem nosso coração, a despeito do que é feito.*

Muitos relacionamentos são assim logo após o casamento. Os sacrifícios pessoais nem parecem sacrifícios. A devoção é algo natural. No entanto, com o tempo, conforme veremos em Apocalipse, a paixão acaba se transformando em desempenho à medida que a faísca do relacionamento começa se apagar.

A carta à igreja de Éfeso, seguindo essa transição do fogo para a fumaça, começa com um elogio a seus atos. Ao continuar a leitura, porém, descobrimos que eram apenas atos, não necessariamente amor.

Mas os atos deveriam bastar, certo? Nada disso! Pense por um instante em seu casamento. Seu cônjuge já agiu de acordo com o esperado em um casamento, mas, mesmo assim, você sentiu que os atos eram feitos mais por obrigação que por amor? Ou pense se você já fez algo parecido. O que fazemos nem sempre revela o coração por trás das ações, mas aqueles que estão mais próximos — Deus e o cônjuge — conhecem nosso coração, a despeito do que é feito.

Vejamos como isso aconteceu na igreja de Éfeso, na qual aquilo que começou como um forte elogio por fazer grandes coisas acabou revelando um coração vazio por detrás de tudo:

> Sei de tudo que você faz. Vi seu trabalho árduo e sua perseverança, e sei que não tolera os perversos. Examinou as pretensões dos que se dizem apóstolos, mas não são, e descobriu que são mentirosos. Sofreu por meu nome com paciência, sem desistir.
>
> Apocalipse 2.2-3

Para preparar o ambiente, a igreja de Éfeso havia se transformado em uma igreja servidora. Aquilo que começou como fogo apaixonado pelo Senhor produzira o que a maioria consideraria grandioso. Os cristãos efésios eram abelhinhas laboriosas na esfera espiritual. Todos estavam envolvidos em um ministério, engajados em uma atividade e fazendo algo para promover o bem e afastar o mal. Perseveravam e não abandonavam suas funções. Os membros daquela igreja tinham padrões e os seguiam. Não jogavam a toalha mesmo em meio a desafios contínuos que talvez teriam cansado até os melhores dentre nós. Apesar de tudo, a igreja de Éfeso aguentava firme.

Antes de ler sobre o coração por trás dos atos, vamos sobrepor esse exemplo bíblico ao cenário conjugal. Se lermos essa passagem no contexto do casamento, veremos que ela se aplica a maridos ou esposas que gostam de marcar pontos em sua lista de afazeres. Eles leem a Palavra, brincam com os filhos e agem de acordo com aquilo que torna um lar forte. Não se entregam à preguiça, nem ao egoísmo, mas buscam servir. Conforme lemos na passagem, tudo isso é bom. A igreja de Éfeso foi elogiada por tudo isso e muito mais. Os casais que fazem coisas semelhantes também merecem elogio.

Mas há um "contudo". Após todos os louvores e aprovações pela tarefa bem feita, Deus continua a mensagem à igreja com uma pequena conjunção de grande significado: "*Contudo*, tenho contra você uma queixa: você abandonou o amor que tinha no princípio" (Ap 2.4). Em outras palavras: "Sim, igreja de Éfeso, vocês fizeram muita coisa boa. Sim, vocês receberam muitos elogios. *Contudo,* tenho uma grande crítica que cancela todo o resto: vocês abandonaram o primeiro amor. Muitas coisas podem estar dando certo, mas existe esse porém que é extremamente errado".

Analisemos isso por um momento, pois tudo indica que é possível servir, fazer, doar e muito mais, sem ter o primeiro amor. É possível se sacrificar sem ter o primeiro amor. É possível ser constante e até sofrer, mas sem o primeiro amor. Apesar de tudo o que faziam, algo faltava na igreja de Éfeso.

Quando lemos essa passagem em Apocalipse, é fácil negligenciar uma distinção crítica. Os cristãos de Éfeso não ouviram que não tinham amor. Deus não disse: "Igreja de Éfeso, você não me ama". Pelo contrário, ele afirmou: "Você abandonou o amor que tinha no princípio".

O amor inicial é diferente de amor. Esse primeiro amor sempre inclui algo que, de modo geral, pode faltar no amor ágape: paixão. Pense em quando você se apaixonou. Lembra-se do fogo dentro de você? Essa intensidade dominava seus pensamentos e atos. Quando se está no primeiro amor, é difícil sair do telefone. Os dois conseguem conversar a noite inteira, mesmo se estiverem prestes a cair no sono. O amor no princípio sempre envolve desejo.

Não faltava nada no programa da igreja de Éfeso. Eles só tinham um programa sem fogo, um programa sem paixão. É parecido com o que muitas esposas sentem no Dia dos Namorados. Todo ano chega essa data comemorativa, atribuindo uma longa lista de expectativas aos maridos. Confie em mim, sei muito bem do que estou falando! O problema é que muitos maridos dão um cartão para a esposa, levam-na para jantar e falam coisas bonitas só porque sabem que, se não fizerem tudo isso, vão morar na casinha do cachorro o resto do ano. É uma expectativa de serviço que costuma ser cumprida sem o fogo. O marido pode dizer: "Bem, querida, eu fiz A, B e C". Pode articular a clareza de seu programa por completo, mas, mesmo assim, falta algo.

O amor inicial sempre inclui algo que, de modo geral, pode faltar no amor ágape: paixão.

Agora recorde o primeiro amor e aquelas ocasiões em que talvez não houvesse dinheiro suficiente para um cartão e um jantar, ou quem sabe o presente tenha vindo do supermercado da esquina. Ainda assim, era bem mais satisfatório porque tudo estava ligado à paixão do primeiro amor.

O amor inicial representa mais que dinheiro. Sua raiz se encontra mais na motivação que no movimento. Quando a igreja de Éfeso deixou esse amor, degenerou-se em religião, em detrimento do relacionamento. Contudo, a principal preocupação de Deus em relação a ela — e a você e a mim também — era sua devoção. Mas quando você tem o fogo, também tem os atos. É possível agir sem o fogo; todavia, quando o fogo se apaga diante da agenda de trabalho, desempenho ou mesmo obrigação, as ações se tornam vazias.

Lembro-me da vez em que estava em um hotel e peguei a maçã de uma fruteira. Ela parecia suculenta e madura, mas quando a mordi descobri que era uma fruta de cera. Antes da mordida, parecia a maçã mais deliciosa que eu já tinha visto, uma tentação bem ali no balcão enquanto eu fazia o *check-in*. A maçã parecia real. Mas não era.

Em outras palavras, pode parecer que você tem um casamento feliz. Pode parecer que tem uma família unida. Pode parecer para os outros que tudo vai bem. Ainda assim, você pode se encontrar em uma situação infeliz simplesmente porque abandonou o amor que tinha no princípio. O relacionamento não é mais seu foco, e você continua apenas cumprindo o programa e o sistema chamado casamento.

Antes do cinto de segurança ser obrigatório, dava para saber quais casais estavam na fase do primeiro amor, porque os dois ficavam atrás do volante, não só o motorista. A mulher se encaixava entre os braços de seu homem. Também dava para ver aqueles que já não tinham mais o primeiro amor, porque a mulher se sentava o mais próximo da porta possível.

E agora?

Felizmente, Deus não deixou a igreja de Éfeso com o problema, mas lhe ofereceu uma solução. A boa notícia para os casados que perderam o amor inicial é a seguinte: é possível reconquistar o amor que se perdeu. A luz inicial pode ser acesa novamente. A chama pode voltar a se iluminar. É claro que não se trata de algo que simplesmente acontece, mas é possível. Deus nos apresenta três passos para colocar esse processo em prática: lembrança, arrependimento, repetição.

Lembrança

O caminho para acender mais uma vez a paixão de seu primeiro amor é se lembrar de onde você veio: "Lembre-se de onde caiu!" (Ap 2.5, NVI). Volte àquele momento no tempo em que provavelmente vocês não tinham muito dinheiro, moravam em um apartamento e tinham só um carro. Mal havia renda para pagar as contas, mas vocês tinham mais que o suficiente para fazer a vida valer a pena — vocês tinham o amor. Traga à memória aquela época em que vocês namoravam e sonhavam um com o outro, relembrando cada beijo. Viaje de volta no tempo e lembre-se de como era ficar de mãos dadas enquanto estavam sentados no sofá. Lembre-se de como eram as conversas quando vocês exploravam as profundezas do coração e da mente um do outro. Relembre como ele a fazia rir sem nem tentar e como você virava a cabeça para vê-lo entrar no ambiente. Recorde quando a submissão era feita sem precisar pedir — com alegria, simplesmente porque queria agradá-lo. E ele a envolvia nos braços toda noite apenas por ter esse privilégio.

A instrução dada por Deus para a igreja de Éfeso — lembrar-se de onde tinham caído — é a mesma que dou aos casados que perderam a paixão. Você não pode me dizer que se casou sem paixão e fogo, desejo e alegria. Se havia isso no passado, então é possível reviver todas essas coisas. Comece lembrando como era. Repasse na mente, pois aquilo que pensamos afeta o que fazemos e dizemos.

Se os seus pensamentos se lembrarem do fogo, haverá um impacto profundo em como você trata seu cônjuge agora. Isso se refletirá naquilo que você diz e deixa de dizer e na atitude com que faz as coisas. Lembre-se do primeiro amor — como você se sentia. Permita-se sentir tudo isso de novo, mesmo que seja apenas uma lembrança. Quanto mais você se deixar sentir, mais provável é que os sentimentos voltem. Não consinta que a dor e as decepções que assolam todo casamento — e o seu não é exceção — bloqueiem essas emoções do primeiro amor. Quando sentir dor, amargura ou apenas apatia, concentre-se rapidamente na lembrança do sentimento do amor que tinha no princípio. Faça isso com frequência e se tornará um hábito. Aliás, converse com seu cônjuge sobre como as coisas eram. Isso ajudará a trazer as lembranças à tona.

Arrependimento

O próximo ato que somos instruídos a realizar em nosso relacionamento com Deus é o arrependimento. Da última vez que conferi, a Bíblia só ordena que nos arrependamos de uma coisa: do pecado. Então, adivinhe? Abandonar o primeiro amor por Deus é considerado pecado. Não é uma mera circunstância. De maneira semelhante, perder o amor pelo cônjuge também é pecado, porque as Escrituras nos instruem a amar — não apenas os outros de modo geral, mas também o cônjuge em particular (Mc 12.31; Ef 5.25; Cl 3.19).

Sempre que acontece um afastamento físico ou emocional da santidade estabelecida na união conjugal, o pecado é introduzido. E, sempre que há pecado, o arrependimento é parte necessária da restauração. Se o arrependimento ocorre em silêncio, entre você e Deus durante seu momento de oração, ou se é partilhado com o cônjuge não é tão importante quanto ter a certeza de que isso aconteceu de forma autêntica. Além disso, o arrependimento também envolve uma ação.

Arrepender-se é ir na direção oposta. É preciso virar-se e mudar de rumo.

Alguns dos problemas e desafios que enfrentamos no relacionamento conjugal podem ser irreparáveis. Talvez haja muita mágoa, dor e angústia envolvidas. Nem todos os remendos do mundo são capazes de resolver algumas coisas, simplesmente porque o desgaste é profundo demais. Em situações como essas, nas quais não dá para consertar uma janela, porta, telhado ou parte de uma construção, uma implosão se faz necessária. E, conforme já dissemos, em uma implosão, a dinamite é colocada dentro do prédio para que ele caia.

Você sabe por que uma equipe de construção implode um prédio? Para colocar algo novo em seu lugar. A construção é derrubada a fim de abrir caminho para algo totalmente inédito. Com frequência, casais gastam todo o tempo e toda a energia emocional tentando consertar uma briga ou situação tão estragada que não tem mais solução. Então, o que fazer nessas situações? É preciso descobrir como criar algo completamente novo. Há algo belo na calculadora: quando você digita o número errado, não precisa desfazer. Pode apenas apertar o botão C e começar de novo.

Alguns dos problemas e desafios que enfrentamos no relacionamento conjugal podem ser irreparáveis.

É essa disposição de começar de novo, voltando para as coisas envolvidas no primeiro amor, que pode ajudar os casais a retomar o zelo perdido. Em vez de permanecer presos nas ruínas que se acumulam com o tempo, reflitam na possibilidade de se livrar delas e concentrar a energia em fazer, pensar e sentir aquilo que, no princípio, vocês faziam, pensavam e sentiam. Procure reconquistar, redeslumbrar e renamorar seu cônjuge. Aproxime-se dele como fazia quando ainda não o tinha ligado a você para a vida inteira. Com muita frequência, não damos o devido valor ao cônjuge, porque já esperamos que estejam ali para nós. Em certo sentido, nós nos aproveitamos de sua presença constante e nos esquecemos de apreciar as características dele que nos encantavam no passado.

Repetição

Uma das maneiras de reacender a chama de seu relacionamento é se perguntar: "Eu falava assim ou agia dessa maneira quando estávamos namorando?". Se a resposta for negativa, então por que fazer isso agora? Honre seu cônjuge com a mesma atenção e o mesmo amor que demonstrava no princípio, e você experimentará uma renovação no relacionamento.

Deus nos tirou do primeiro passo, que é a lembrança, e nos trouxe ao segundo passo, o arrependimento. O terceiro e último passo de retorno ao primeiro amor é a repetição. Deus nos instrui: "Volte a praticar as obras que no início praticava" (Ap 2.5).

A maioria dos casais não namora muito depois do casamento. As demandas da vida e as agendas apertadas começam a pesar no relacionamento, tornando cada vez mais difícil namorar. A forma moderna de namoro não é em nada parecida com o que acontecia nos tempos bíblicos. Hoje em dia, as pessoas namoram a fim de conhecer alguém, para decidir se querem se casar ou não. Mas não é isso que encontramos nas Escrituras. Na cultura bíblica, não

> *Uma das maneiras de reacender a chama de seu relacionamento é se perguntar: "Eu falava assim ou agia dessa maneira quando estávamos namorando?".*

se namorava para casar; em vez disso, casava-se para namorar. Era o contrário.

Muitos casamentos dos tempos bíblicos eram arranjados. Em geral, os pais escolhiam com quem os filhos iriam se casar. Um dos motivos é que o casamento deveria ser o fundamento sobre o qual o casal construía o relacionamento, não o que o destruía.

Ao buscar reacender a chama do amor no casamento, façam as coisas que vocês costumavam realizar quando namoravam. Repita aquilo que era voltado para o relacionamento, não para programas. Repita palavras especiais, gestos de bondade, arrume-se para encontrar o outro e lembre-se da comida preferida dele. Repita a procura de coisas que agradarão os dois, correndo atrás de tempo quando não há, buscando a melhor aparência possível. Repita a escuta, mesmo quando já ouviu a história várias vezes antes. Ou ria até quando a piada não tem tanta graça. Volte a notar o que destaca seu cônjuge das outras pessoas, e então mencione isso para ele. Repita essas coisas cada vez mais e você reacenderá a chama do primeiro amor.

Façam todas as tentativas possíveis de lembrar, arrepender e repetir para reacender aquilo que os levou a se casar lá no passado.

Os relacionamentos são poderosos. O relacionamento conjugal é uma das experiências mais íntimas e recompensadoras da vida — se vocês o tratarem com a honra, a atenção e o amor que ele merece. Apreciem um ao outro como no princípio. Protejam-se de cair no "programa" do casamento. Façam todas as tentativas possíveis de lembrar, arrepender e repetir para reacender aquilo que os levou a se casar lá no passado.

CONCLUSÃO
Transforme água em vinho

Nada mais adequado do que Cristo nos dar uma das maiores lições sobre o casamento por meio de algo que ele fez em um casamento. Se você já passou tempo em alguma igreja ou estudando a Bíblia, é provável que conheça a história do casamento no qual Jesus transformou água em vinho. Esse milagre bem conhecido nos oferece uma série de lições de fé, confiança e espera. Contudo, algo de novo me saltou aos olhos pouco tempo atrás, quando eu estava pregando sobre essa passagem do evangelho. Em meio às conversas e circunstâncias dessa cerimônia nupcial, encontra-se escondido um princípio crucial para os casais do reino.

> *Nada mais adequado do que Cristo nos dar uma das maiores lições sobre o casamento por meio de algo que ele fez em um casamento.*

É importante compreender o panorama: nos tempos bíblicos, os casamentos eram eventos sociais gigantescos. Ao contrário dos tempos atuais, nos quais nos concentramos em uma cerimônia durante o dia ou a noite, depois vamos a uma recepção e então jogamos arroz no casal recém-casado e encerramos a festa, esses casamentos históricos duravam uma semana inteira. As pessoas viajavam de lugares distantes para participar. Com isso, os pais da noiva eram responsáveis não só por realizar uma linda cerimônia, mas também por planejar uma grande festa por um longo período.

Havia comida, música, riso e, é claro, vinho. No entanto, no caso do casamento registrado em João 2, os anfitriões depararam com algo inimaginável. O vinho literalmente acabou. Tudo foi embora. Pense em um verdadeiro estraga-prazeres! Essa realidade estava prestes a espalhar um tom sombrio sobre o que deveria ser uma ocasião festiva.

Então a mãe de Jesus decidiu fazer algo. Ela se aproximou do Filho e disse: "Eles não têm mais vinho" (v. 3). Tradução: "Menino, faça alguma coisa! Eu sei quem você é!". Isso me faz lembrar a mãe de Clark Kent sussurrando no ouvido dele em um momento de crise: "Não seria uma boa hora para achar uma cabine telefônica?".

Um casamento do reino bem--sucedido pode ser resumido em uma frase: "Façam tudo que ele mandar".

Ao que tudo indica, Jesus não gostou muito de ouvir sua mãe lhe dizendo o que ele deveria fazer acerca de sua divindade, então respondeu: "Mulher, isso não me diz respeito [...]. Minha hora ainda não chegou" (v. 4). Tradução: "Relaxe, isso não é problema seu!".

Mas, assim como faria qualquer bom filho, depois de dar de ombros para o pedido da mãe Jesus foi em frente e realizou o que ela queria assim mesmo. Nada em suas palavras daria à mãe a ideia de que ele estava prestes a fazer algo, então talvez tenham sido sinais não verbais — uma piscada de olho ou um suspiro na voz quando ele disse que sua hora ainda não tinha chegado. A despeito de como foi, ela soube que Jesus iria cuidar da situação, pois suas palavras seguintes aos servos foram: "Façam tudo que ele mandar" (v. 5).

Essa é uma declaração importante. Mas também é uma frase que costuma não ser notada nem ouvida em nossa vida cotidiana. É claro, entendemos que Maria, mãe de Jesus, disse aos servos para fazerem tudo que ele ordenasse. Ah, mas como nos beneficiaríamos se aplicássemos o conselho dela para nossa vida e nosso casamento! Um casamento do reino bem-sucedido pode ser resumido em uma frase: "Façam tudo que ele mandar".

> *Deus quer que o homem aprecie os dons de liderança de sua esposa e dê a ela liberdade para os colocar em prática.*

Embora essa seja a lição fundamental que quero deixar para você, ainda há mais para ser dito. À medida que continuamos a leitura de João 2, vemos que Jesus pediu aos servos que enchessem seis cântaros de água. Não sei quanto a você, mas isso parece algo ridículo a se pedir para alguém que está com falta de vinho. Fico imaginando no que os servos estavam pensando quando desceram ao poço para encher os cântaros de água. Sem dúvida, sabiam que seu mestre queria vinho para os convidados. Mas, seguindo o que Maria os havia instruído, eles foram.

Em algum ponto entre o poço e o mestre-sala, a água se transformou em vinho. E não era um vinho qualquer, pois o mestre-sala exclamou: "O anfitrião sempre serve o melhor vinho primeiro [...]. Depois, quando todos já beberam bastante, serve o vinho de menor qualidade. Mas você guardou o melhor vinho até agora!" (v. 10). Em outras palavras, era tradição servir o melhor vinho primeiro, enquanto a mente das pessoas ainda estava atenta e as papilas gustativas se encontravam bem aguçadas. Depois que bebiam um pouco, os servos ofereciam o vinho mais barato. Mas, quando Jesus realizou o milagre, seu vinho superou todos os outros.

Assim também, quando Deus realiza uma obra sobrenatural no casamento em resposta a seus atos de fé, fazendo o que ele pede, até aquilo que parece vazio será preenchido por algo melhor do que você jamais poderia esperar e, às vezes, por algo mais doce do que você jamais imaginaria.

Já aconselhei casais o suficiente para saber que muitas das pessoas mais solitárias do planeta usam uma aliança no dedo. O relacionamento é vazio, sem a mínima esperança de melhorar. Maridos e esposas estão desgastados, exauridos, acabados. Entretanto, não importa o vazio ou as carências que você sinta no casamento, quero que faça uma coisa: encha esse vazio de água. Encha com aquilo a que você tiver acesso, mesmo se não parecer que algo mudará. Não espere que seu cônjuge preencha. Vá você ao poço e derrame água da vida em seu relacionamento vazio. A água é uma fonte doadora de vida, então faça tudo o que estiver a seu alcance para cultivar seu casamento agora.

Faça o que estiver ao seu alcance para levar vida aonde puder.

Talvez você esteja dizendo: "Mas, Tony, meu marido não supre minhas necessidades. Ele fica fora o tempo inteiro. Nem fala mais comigo". Eu a ouço e a entendo. Mas encha esse vazio com água. Faça o que estiver ao seu alcance para levar vida aonde puder.

Ou quem sabe você diga: "Tony, ela fica com as crianças o tempo inteiro, ou ocupada com as atividades dela. Perdi a mulher pela qual me apaixonei. Ela não me respeita mais, nem atende às minhas necessidades". Isso também pode ser verdade. Mas encha esse vazio com água.

CONCLUSÃO: TRANSFORME ÁGUA EM VINHO

A água só se transformou em vinho depois que os cântaros vazios foram preenchidos. Essa era a condição da qual o milagre dependia. Os servos precisaram ir até o poço e fazer o que parecia ridículo. Tiveram de fazer aquilo que, na opinião de qualquer pessoa com a cabeça no lugar, jamais produziria vinho. Mas fizeram assim mesmo, pois foi o que Jesus havia ordenado.

Às vezes Deus pede que façamos o ridículo em nosso casamento a fim de revelarmos a fé que temos nele. É possível que você nutra

Se os casais passassem tanto tempo em oração pelo cônjuge quanto passam reclamando, debatendo, lamentando e exigindo, vivenciariam o casamento vibrante e cheio de vida que Deus planejou para eles.

amargura e ressentimento contra seu cônjuge agora, mas encha esse relacionamento de amor — atos intencionais de paciência, gentileza e bondade. Morda a língua e ofereça amor. Deus transformará sua fé em vinho. Na Bíblia, o vinho é símbolo de alegria. O que Jesus fez naquele casamento foi transformar o vazio em alegria.

Cristo disse à mãe que sua hora ainda não havia chegado. Ele não fez o milagre para o público — ninguém sabia, além dos servos e de sua mãe. Nem mesmo o mestre-sala fazia ideia de onde o vinho viera, conforme percebemos em sua reação ao noivo ao provar a bebida. Ainda assim Jesus fez o milagre, e fará o mesmo por você. Quando você passa tempo a sós com o Senhor, buscando descobrir o que ele quer que você faça nos bastidores, Deus é capaz de levar alegria aonde ela está em falta. Entregue ao Senhor todas as queixas públicas acerca de seu cônjuge, todas as discussões públicas com os amigos e até os atos públicos que revelam aos outros o vazio de seu casamento, e peça a ele que cure seu relacionamento conjugal.

Se os casais passassem tanto tempo em oração pelo cônjuge quanto passam reclamando, debatendo, lamentando e exigindo, vivenciariam o casamento vibrante e cheio de vida que Deus planejou para eles. Mas como ser capaz de ouvir o que Cristo tem a dizer acima do barulho de seu próprio conflito ou de sua dor?

Minha esperança é que, ao concluirmos este estudo sobre os casais do reino, você incorpore os princípios ensinados nas Escrituras e os aplique a você e a seu casamento. Quando esses princípios não estiverem presentes em seu cônjuge, leve a situação ao Senhor em oração e peça a ele que lhe mostre o que ele deseja que você faça, não o que quer que seu cônjuge faça. Encher cântaros com água foi um pedido ridículo também, então não duvide daquilo que Deus o instruir a fazer. Apenas faça.

Pode ser uma palavra de gentileza ou a boca fechada na hora em que você sente vontade de soltar o verbo. Pode ser mais paciência ou mais respeito por aquilo que é correto e bom em seu relacionamento. Pode ser que você necessite lembrar, arrepender-se e repetir o que fazia quando começou a namorar e voltar ao primeiro amor. Ou talvez necessite, em humildade, abrir mão do controle que você acha que tem sobre como seu cônjuge trata ou responde você. Pode ser qualquer coisa, ou mesmo todas as opções acima. Mas uma coisa é certa: um casamento do reino recompensador começa com você.

Sim, são necessárias duas pessoas, mas assim como ninguém conseguiria prever que a água seria transformada em vinho, só Deus sabe como ele deseja e planeja amadurecer e desenvolver seu cônjuge para um relacionamento mais profundo com você. Os caminhos do Senhor estão muito além do nosso entendimento (Is 55.8-9). Deixe isso com ele e, assim como os servos do casamento, faça tudo o que ele mandar. Então fique em paz. Talvez você pense que é o fim, mas a festa está só começando.

Ele reservou o melhor para o final!

ANEXO
A Alternativa Urbana

O ministério liderado pelo dr. Tony Evans, The Urban Alternative [A Alternativa Urbana], *capacita*, *encoraja* e *une* cristãos para impactar *indivíduos*, *famílias*, *igrejas* e *comunidades* por meio de uma cosmovisão totalmente voltada para a agenda do reino. Ao ensinar a verdade, buscamos transformar vidas.

A causa central dos problemas que as pessoas enfrentam na vida, no lar, nas igrejas e na sociedade tem origem espiritual. Logo, a única maneira de resolver o problema é espiritualmente. Já tentamos uma agenda política, social, econômica e até mesmo religiosa.

Chegou a hora da *agenda do reino*.

A agenda do reino pode ser definida como a manifestação visível do governo abrangente de Deus em todos os aspectos da vida.

O tema central unificado da Bíblia inteira é a glória de Deus e o avanço de seu reino. O fio condutor, de Gênesis a Apocalipse — do início ao fim —, enfoca uma coisa: a glória de Deus por meio do avanço de seu reino.

Quando você não pauta sua vida por esse tema, a Bíblia não passa de histórias desconectadas, ótimas para inspirar, mas que parecem sem ligação de propósito e direcionamento. A Bíblia existe para compartilhar o movimento de Deus na história mediante o estabelecimento e a expansão de seu reino, destacando a conexão através de todo o domínio divino. Essa compreensão aumenta a relevância desse manuscrito de milhares de anos para a vida cotidiana, pois o reino não foi apenas no passado, mas continua a ser hoje.

A ausência da influência do reino na vida pessoal e familiar, na igreja e na comunidade tem levado a uma deterioração de proporções gigantescas em nosso mundo:

- As pessoas vivem de forma segmentada e compartimentalizada, porque carecem de uma cosmovisão do reino.
- As famílias se desintegram porque existem para a própria satisfação, em vez de buscar a satisfação do reino.
- O escopo de impacto das igrejas é limitado porque elas falham em entender que o objetivo da igreja não é ela mesma, mas sim o reino.
- As comunidades não têm nenhum lugar para recorrer em busca de soluções para pessoas reais com problemas reais, pois a igreja está dividida, subdesenvolvida e incapaz de transformar o cenário cultural de qualquer maneira relevante.

A agenda do reino nos oferece uma maneira de ver e viver a vida com a esperança sólida de otimizar as soluções do céu. Quando Deus e seu domínio não representam mais o padrão final de autoridade debaixo do qual tudo o mais se encaixa, a ordem e a esperança vão embora com ele. Mas o contrário também é verdade: enquanto você tiver Deus, terá esperança. Se o Senhor estiver em cena e enquanto sua agenda for a diretriz orientadora, ainda não acabou.

Mesmo que os relacionamentos entrem em colapso, Deus sustentará você. Mesmo que os recursos financeiros diminuam, o Senhor o manterá. Mesmo que os sonhos morram, Deus o reviverá. Contanto que Deus e seu governo sejam o domínio mais amplo em sua vida, família, igreja e comunidade, sempre há esperança.

Nosso mundo necessita da agenda do Rei. Nossas igrejas precisam da agenda do Rei. Nossas famílias necessitam da agenda do Rei.

Em muitas cidades, existe um anel viário que os motoristas podem usar para chegar a um lugar do outro lado do município, sem precisar necessariamente passar pelo centro. O anel conduz você perto o suficiente da cidade para ver seus edifícios e arranha-céus, mas não o bastante para vivenciar o centro.

É exatamente isso que nossa cultura tem feito com Deus. Nós o colocamos no "anel" de nossa vida pessoal, familiar, eclesiástica e comunitária. Ele está próximo o suficiente para estar ao alcance, caso necessitemos dele em uma emergência, mas longe o bastante do âmago de nosso ser.

Queremos Deus no "anel viário", não sendo o Rei da Bíblia que desce ao centro para habitar bem no coração de nossos caminhos. Deixar Deus no "anel" acarreta outras consequências desagradáveis, conforme vimos na nossa vida e na dos outros. Mas, quando transformamos o Senhor e seu domínio no centro de tudo o que pensamos, fazemos ou dizemos, conseguimos ter uma experiência com Deus da maneira que ele anseia.

Ele deseja que sejamos pessoas do reino, com a mente focada em cumprir os propósitos de seu reino. O Senhor deseja que oremos, assim como Jesus: "Seja feita a tua vontade, não a minha". Porque dele é o reino, o poder e a glória.

Há um só Deus, e nós não somos Deus. Por ser Rei e Criador, é ele quem manda. Somente quando nos alinhamos debaixo de sua mão abrangente é que temos acesso a seu pleno poder e a toda a sua autoridade, em todas as esferas da vida: pessoal, familiar, eclesiástica e comunitária.

À medida que aprendemos a nos governar debaixo do Senhor, transformamos as instituições da família, igreja e sociedade a partir da perspectiva do reino baseada na Bíblia.

Por meio dele, começamos a tocar o céu e a mudar a terra.

A fim de cumprir o alvo da Alternativa Urbana, usamos diversas estratégias, bem como variados métodos e recursos para alcançar e capacitar o máximo de pessoas possível.

Programa de rádio

Centenas de milhares de indivíduos têm acesso ao programa *The Alternative with Dr. Tony Evans* [A Alternativa, com o dr. Tony Evans], transmitido diariamente por mais de mil estações de rádio e em mais de cem países. O programa também pode ser assistido em diversos canais de televisão e *on-line*, em <TonyEvans.org>. Além disso, é possível ouvir ou escutar o programa diário por meio do *app* Tony Evans, disponível para *download* gratuitamente em lojas de aplicativos. Mais de 4 milhões de *downloads* de mensagens acontecem todos os anos.

Capacitação de liderança

O Tony Evans Training Center (TETC) [Centro de treinamento Tony Evans] promove programas educacionais que incorporam a filosofia de ministério expressa por meio da agenda do reino. Os cursos de treinamento focam o desenvolvimento de liderança e discipulado nas cinco linhas principais a seguir:

- Bíblia e teologia.
- Crescimento pessoal.
- Família e relacionamentos.
- Saúde da igreja e desenvolvimento de liderança.
- Estratégias de impacto na comunidade e sociedade.

O programa do TETC inclui cursos tanto para alunos locais quanto *on-line*. Além disso, os cursos do TETC oferecem opções para participantes que não sejam estudantes. Pastores, líderes cristãos e leigos, tanto presencialmente quanto à distância, podem obter o Certificado da Agenda do Reino, para o desenvolvimento pessoal, espiritual e profissional. Alguns cursos podem ser usados como créditos de educação continuada, e também ser transferidos como crédito universitário em instituições parceiras.

A organização Kingdom Agenda Pastors (KAP) [Pastores da agenda do reino] fornece uma rede viável para pastores com pensamento semelhante que desejam aderir à filosofia da agenda do reino. Os pastores têm a oportunidade de se aprofundar com o pastor Tony Evans, recebendo maior conhecimento bíblico, aplicação prática e recursos para impactar indivíduos, famílias, igrejas e comunidades. A KAP recebe pastores titulares e associados de todas as igrejas. Também realiza uma conferência anual em Dallas, com seminários intensivos, oficinas e recursos.

O ministério das esposas de pastor, fundado por Lois Evans, fornece aconselhamento, incentivo e recursos espirituais para as esposas de pastor que atuam ao lado do marido no ministério. Um dos focos principais desse ministério ocorre durante a conferência da KAP, oferecendo às esposas de pastores titulares um lugar seguro para refletir, renovar e relaxar, junto com treinamento em desenvolvimento pessoal, crescimento espiritual e cuidado com o bem-estar físico e emocional.

Impacto na comunidade

A National Church Adopt-A-School Initiative [Iniciativa nacional Igreja, adote uma Escola] prepara igrejas de todo o território norte-americano para impactar comunidades usando as escolas públicas como o principal veículo para a criação de mudanças sociais positivas nos jovens de áreas urbanas e em suas famílias. Líderes de igrejas, delegacias de ensino, organizações confessionais e outras instituições sem fins lucrativos são capacitados com conhecimento e ferramentas para criar parcerias e construir um sistema forte de serviço social. Esse treinamento se baseia na estratégia de impacto comunitário via igreja, por meio da Oak Cliff Bible Fellowship. Aborda áreas como desenvolvimento econômico, educação, moradia, revitalização da saúde, renovação da família e reconciliação racial. Auxiliamos as igrejas a customizar o modelo a fim de atender às necessidades específicas de suas comunidades, ao mesmo tempo que abordamos estruturas de referência espiritual e moral. Os eventos de capacitação acontecem anualmente em Dallas, na Oak Cliff Bible Fellowship.

O Athlete's Impact [Impacto aos atletas] existe como iniciativa de evangelismo dentro da arena esportiva. Não raro, os técnicos são as pessoas que mais influenciam a vida dos jovens, juntamente com seus pais. Com o crescimento do problema de pais ausentes em nossa cultura, cada vez mais jovens buscam na figura do treinador a orientação, o desenvolvimento do caráter, as necessidades práticas e a esperança de que necessitam. Os atletas são os próximos na escala de influência, depois dos técnicos. Os atletas, profissionais ou amadores, influenciam atletas e crianças mais jovens dentro da respectiva esfera de impacto. Sabendo disso, transformamos em nosso objetivo capacitar e treinar técnicos e atletas para viver e usar o papel que Deus lhes deu em prol do reino. Nosso alvo é fazer isso por meio do *app* iCoach, do congresso weCoach Football Conference, bem como de recursos como o livro *The Playbook: A Life Strategy Guide for Athletes* [Livro de jogadas: Guia de estratégias de vida para atletas].

Desenvolvimento de recursos

Estamos promovendo parcerias de ensino vitalícias com as pessoas que servimos ao oferecer diversos materiais publicados. O dr. Evans já publicou mais de cem títulos, com base em mais de quarenta anos de pregação, em forma de livretos, livros ou estudos bíblicos. O objetivo é fortalecer as pessoas em sua caminhada com Deus e no serviço aos outros.

Notas

Capítulo 1
[1] Sarah Pruitt, "5 Things You May Not Know About Queen Victoria", History in the Headlines, History.com, 28 de junho de 2013, <http://www.history.com/news/5-things-you-may-not-know-about-queen-victoria>.
[2] Robert McNamara, "Prince Albert, Husband of Queen Victoria", About.com, <http://history1800s.about.com/od/leaders/a/prince-albert-html.htm>.
[3] "How Many Children Did Queen Victoria Have and Who Was the Oldest?", Biographies, YourDictionary.com, <http://biography.yourdictionary.com /articles/children-queen-victoria-who-oldest.html>.
[4] Pruitt, "5 Things You May Not Know About Queen Victoria".

Capítulo 2
[1] Estatísticas do Departamento de Estado dos Estados Unidos, citado por: David A. Sleet, David J. Ederer e Michael F. Ballesteros, "The Pre-Travel Consultation: Injury Prevention", em *CDC Health Information for International Travel* (Washington, DC: Centers for Disease Control and Prevention, 2016), cap. 2, <https://wwwnc.cdc.gov/travel/yellowbook/2020/noninfectious-health-risks/injury-and-trauma>.
[2] Estatísticas citadas em "Vehicle Accidents Put U.S. Citizens Traveling in Foreign Countries at Risk", EuropAssistance-USA.com, <http://www.europassistance-usa.com/blog/archives/vehicle-accidents-put-u-s-citizens-traveling-in-foreign-countries-at-risk/>.

Capítulo 5
[1] *Noiva em fuga*, dirigido por Garry Marshall (Paramount Pictures, 1999).
[2] Sumário de Ken Sande, *The Peacemaker: A Biblical Guide to Resolving Personal Conflict*, 3ª ed. (Grand Rapids: Baker Books, 2004), p. 12-13. [No

Brasil, *O pacificador: Como solucionar conflitos*. Rio de Janeiro: CPAD, 2016.]

Capítulo 6

[1] "50 Women You Should Know", *Christianity Today* 56, n. 9 (19 de outubro de 2012), <http://www.christianitytoday.com/ct/2012/october/50-women-you-should-know.html>.

[2] *Strong's Concordance*, s.v. Hebrew 5828 *ezer*, <http://biblehub.com/hebrew/5828.htm>.

[3] *Strong's Concordance*, s.v. Hebrew 5048 *kenegdo*, root *neged*, <http://biblehub.com/hebrew/5048.htm>.

[4] Idem.

[5] *Quarto de guerra*, dirigido por Alex Kendrick (Provident Films, 2015).

Capítulo 7

[1] Gary Thomas, *Sacred Marriage*. (Grand Rapids: Zondervan, 2000), p. 13.

[2] Erin Prater, "Chronic Illness in Marriage", Chronic Illness in Marriage Series, Pt. 1, 2008, FocusontheFamily.com, <http://www.focusonthefamily.com/marriage/facing-crisis/chronic-illness/chronic-illness-in-marriage>.

Capítulo 8

[1] Stu Woo, "The Great Super Bowl Bed Check", *Wall Street Journal*, Life and Culture, 31 de janeiro de 2015, <http://www.wsj.com/articles/thegreat-super-bowl-bed-check-1422729297>.

Capítulo 10

[1] Abraham Lincoln, "Proclamation Appointing a National Fast Day", discurso, Washington, D.C., 30 de março de 1863, <http://www.abrahamlincolnonline.org/lincoln/speeches/fast.htm>.

Capítulo 11

[1] Sheril Kirshenbaum, "Sealed with a Kiss — and Neuroscience", *Washington Post*, 26 de dezembro de 2010, <http://www.washingtonpost.com/wp-dyn/content/article/2010/12/23/AR2010122304771.html>, grifos do autor.

[2] Idem.

[3] Helen Fisher, "The Brain in Love", discurso, TED Talks, fevereiro de 2008, <https://www.ted.com/talks/helen_fisher_studies_the_brain_in_love/transcript?language=en>.

[4] Kirshenbaum, "Sealed with a Kiss".

[5] Idem.

[6] *Strong's Concordance*, s.v. Hebrew 3045 *yada*, <http://biblehub.com/hebrew/3045.htm>.

[7] *Strong's Concordance*, s.v. Greek 4203 *porneuō*, <http://biblehub.com/greek/4203.htm>.

[8] *Strong's Concordance*, s.v. Hebrew 7901 *shakab*, <http://biblehub.com/hebrew/7901.htm>.

[9] Adam Hadhazy, "Do Pheromones Play a Role in Our Sex Lives?", *Scientific American*, 13 de fevereiro de 2012, <http://www.scientificamerican.com/article/pheromones-sex-lives/>.

[10] Susan Rako e Joan Friebely, "Pheromonal Influences on Sociosexual Behavior in Postmenopausal Women", *Journal of Sex Research* 41, nº 4 (novembro de 2004), p. 372-380, <http://www.jstor.org/stable/pdf/3813545.pdf?acceptTC=true&seq=1#page_scan_tab_contents>.

[11] Estudo publicado em Amanda Denes, "The Science of Pillow Talk", *UConn Today*, 27 de dezembro de 2013, <http://today.uconn.edu/2013/12/the-science-of-pillow-talk/>.

[12] Fisher, "The Brain in Love".

[13] *Strong's Concordance*, s.v. Greek 2853 *kollaō*, <http://biblehub.com/greek/2853.htm>.

Obras do mesmo autor:
Homem do reino
Mulher do reino

Compartilhe suas impressões de leitura,
mencionando o título da obra, pelo e-mail
opiniao-do-leitor@mundocristao.com.br
ou por nossas redes sociais

Esta obra foi composta com tipografia Adobe Caslon Pro
e impressa em papel Pólen Natural 70 g/m² na gráfica Rettec